NOUVEAUX HORIZONS GOURMANDS

Saveurs indiennes

Sommaire

Au royaume des épices

Curry, cannelle et safran

Curry : plat à base de viande, de poisson ou de légumes, préparé avec un assaisonnement indien composé d'épices et servi avec du riz ou du pain. Sous cette définition se dissimule une infinie richesse de trésors culinaires. De nombreux plats indiens sont devenus de grands classiques appréciés dans le monde entier. L'origine du mot reste incertaine : certains y voient le résultat de la présence coloniale anglaise, et l'anglicisation du mot « *kari* » signifiant sauce aux épices. Pour d'autres, curry vient du mot tamil signifiant sauce. La question de l'étymologie du mot reste ouverte, une certitude cependant, le curry désignant un mélange d'épices a été ramené d'Inde en Occident par les Anglais au XVIIIe siècle. La poudre de curry telle que nous la connaissons fut élaborée à Madras, pour être envoyée aux Anglais qui quittaient les Indes et ne voulaient pas renoncer à leurs plats favoris. On trouve peu de mélanges d'épices standards en Inde, les recettes de currys se transmettent de génération en génération, et le mélange d'épices varie d'une région et d'une famille à l'autre. Si certains professionnels de la cuisine mélangent une vingtaine d'épices, une palette plus réduite est suffisante pour percer les secrets de la cuisine indienne et entrer dans le monde des arômes venus des Indes lointaines.

LE POIVRE (à gauche) se trouve sous forme de grains verts, noirs ou blancs, selon sa maturité. Ceux-ci s'utilisent entiers, concassés ou moulus. Le piquant varie selon la couleur, de doux à fort.

1 **LE GINGEMBRE**, pelé puis réduit en poudre, donne une saveur fruitée et piquante. Il vaut mieux utiliser des racines de gingembre frais.

2 **LA CORIANDRE** a une saveur légèrement sucrée et boisée. Les graines sont blanches ou brunes.

3 **LE CURRY** contient jusqu'à 20 épices. C'est le curcuma qui lui confère sa couleur. Cumin, cardamome, clous de girofle, gingembre et cannelle sont les éléments de son élaboration.

2

3

4

5

4 **LE CUMIN** a une saveur puissante, légèrement amère. Les graines sont grillées à sec puis broyées au mortier, l'odeur prononcée en est alors fortement atténuée.

5 **LE PIMENT** est plus ou moins fort selon sa teneur en capsaïcine, substance présente essentiellement dans les membranes et les graines. D'un beau rouge vif, ses baies allongées s'utilisent fraîches, séchées ou moulues.

6 **LA CARDAMOME** possède une saveur citronnée, un peu piquante. Les capsules vertes entières sont plus douces que les graines qu'elles renferment. Ces dernières s'utilisent moulues.

7 **LA CANNELLE** se présente en bâtons et peut être aussi moulue. Appréciée dans nos contrées pour relever les desserts, elle entre dans la composition des currys en Inde.

6

LE FENUGREC a une saveur un peu amère. Les graines s'utilisent entières ou moulues dans une grande variété de currys. Du fait de leur goût puissant, un usage modéré s'impose.

7

LE GARAM MASALA est le mélange d'épices le plus connu avec le curry. Comme pour ce dernier, il existe une infinie variété de recettes. De manière générale, il se compose de cumin, coriandre, cardamome, poivre, cannelle et girofle.

LES CLOUS DE GIROFLE, boutons floraux séchés du giroflier, s'utilisent en Europe pour parfumer le vin chaud ou le bouillon du pot-au-feu. Les clous de girofle ont une saveur puissante et un goût très prononcé.

LE CURCUMA, ou safran des Indes, entre dans la composition des currys ou sert à colorer les aliments. Cette racine, proche du gingembre, d'un beau jaune vif, s'utilise le plus souvent moulue en association avec d'autres épices, ou seule pour colorer les mets. Elle possède un goût fort, un peu amer.

LE SAFRAN, épice la plus chère du monde, s'achète en stigmates ou en poudre et s'utilise en très petites quantités. Avec sa saveur légèrement amère et son jaune éclatant, il est idéal pour les plats de riz et les desserts sucrés.

LA MOUTARDE se présente en Inde sous forme de graines jaunes ou noires, le plus souvent grillées, puis pilées dans un mortier. Elle entre dans la composition de nombreux mélanges et confère aux plats une agréable saveur piquante.

Pas à pas
Secrets de cuisine

La réussite d'un curry repose sur l'association subtile des épices. L'idéal consiste à préparer soi-même sa poudre d'épices en les pilant dans un mortier ou en utilisant un moulin réservé à cet effet. Pour qu'elles développent encore mieux leur arôme, les épices peuvent être grillées à sec avant d'être réduites en poudre. Les épices ne se conservent pas longtemps, leur arôme est très volatil. Pour une bonne conservation, placez les épices dans des bocaux hermétiques ; protégées de l'humidité et de la lumière, elles se conserveront plus longtemps. La cuisine thaïlandaise fait un large usage d'épices en pâte. Ces pâtes peuvent être achetées toutes prêtes dans les magasins de produits asiatiques, mais vous pouvez aussi les préparer vous-même. Pour retrouver toute l'authenticité d'un curry indien, l'idéal consiste à faire revenir les aliments dans du ghee ou du beurre clarifié ; à défaut de ghee, on peut évidemment utiliser du beurre ou une autre matière grasse animale. Que servir avec un curry ? Du riz basmati, des pappadam, galettes à base de farine de lentille ou des chapati préalablement grillés à la poêle pour qu'ils soient plus croquants.

Confectionner des chapati

1 Mélangez 300 g de farine à chapati (ou de farine complète) avec 2 cuillerées à soupe de ghee (beurre clarifié), 1 cuillerée à café de sel et 15 cl d'eau.

2 Travaillez les ingrédients jusqu'à l'obtention d'une pâte lisse et souple, puis pétrissez encore au moins 10 minutes à la main.

3 Formez une boule avec la pâte et laissez-la reposer environ 20 minutes sous un torchon humide.

4 Divisez la pâte en 12 portions d'égale grosseur et formez des boules.

5 Sur un plan de travail fariné, étalez les boules en 12 abaisses rondes, très fines.

6 Faites cuire les galettes à sec une par une dans une poêle très chaude, 1 minute sur chaque face, pour qu'elles soient bien dorées.

Préparer du ghee

1 Coupez environ 1 kg de beurre en morceaux et faites-le fondre lentement à feu doux dans une grande casserole à fond épais.

2 Portez le beurre fondu à ébullition jusqu'à ce que de l'écume se forme. Laissez mijoter à feu doux 30 à 40 minutes.

3 Filtrez dans une passoire tapissée de papier absorbant. Répétez l'opération jusqu'à l'élimination complète des particules solides.

4 Versez le ghee dans des bocaux à vis. Vous pourrez le conserver plusieurs mois dans un endroit sec et frais.

Préparer du garam masala

1 Grillez à sec 1 cuillerée à soupe de coriandre et 1 de cumin, 1 cuillerée à café de poivre noir en grains, 6 capsules de cardamome, 1 bâton de cannelle concassé et 5 clous de girofle.

2 Laissez refroidir, puis réduisez en poudre dans un mortier ou un moulin à épices (réservé à cet usage). Le garam masala se conserve 6 mois dans un récipient hermétique.

Préparer la pâte de curry rouge

1 Épluchez et coupez en dés 3 échalotes. Parez et épépinez 8 poivrons rouges et 3 piments. Rincez et hachez finement leur chair.

2 Parez et lavez la tige de citronnelle. Émincez finement la partie blanche des feuilles. Pelez et hachez finement 10 g de galgant.

3 Grillez à sec 1 cuillerée à café de graines de coriandre. Pilez-les dans un mortier avec 1/2 cuillerée à café de cumin et 1 cuillerée à café de zeste de citron vert râpé.

4 Pilez les ingrédients dans le mortier pour obtenir une pâte. Assaisonnez de sel, de poivre et de noix de muscade. Ajoutez 1 cuillerée à café de pâte d'anchois.

Currys de légumes

Curry de légumes
à la coriandre et au piment

Un régal pour les yeux et pour le palais : pois gourmands verts, poivrons rouges et potiron à chair jaune.

Ingrédients

100 g de petits oignons
1 gousse d'ail
2 poivrons rouges
240 g de pois chiches
200 g de pois gourmands
600 g de potiron
2 cuill. à soupe d'huile
50 cl de bouillon de légumes
5 cuill. à soupe
de crème fraîche
1 cuill. à soupe de farine
4 cuill. à soupe de jus de citron
Sel · Poivre du moulin
Épices en poudre :
1 cuill. à café de curcuma
1 cuill. à café de cumin
1/2 cuill. à café de piment
1/2 cuill. à café de coriandre

Préparation

POUR 4 PERSONNES

1. Épluchez les oignons et l'ail. Coupez-les en petits dés. Partagez les poivrons, retirez les graines et rincez la chair. Coupez les demi-poivrons en grosses lamelles, puis recoupez-les en deux.
2. Rincez les pois chiches et laissez-les égoutter. Parez et rincez les pois gourmands. Épluchez le potiron, retirez les graines et coupez la chair en morceaux de la grosseur d'une bouchée.
3. Faites chauffer l'huile dans une casserole et faites-y revenir rapidement l'oignon, l'ail et les épices. Ajoutez le potiron et faites-le revenir rapidement. Versez le bouillon et couvrez. Laissez mijoter les légumes à feu doux.
4. Ajoutez les poivrons, les pois gourmands et les pois chiches. Laissez mijoter 5 minutes. Mélangez la crème fraîche avec la farine et versez-la sur les légumes. Remuez et laissez mijoter le curry de légumes quelques instants.
5. Assaisonnez le curry avec du jus de citron, du sel et du poivre. Servez ce curry de légumes avec des chapati (recette p. 8) ou du yaourt nature fouetté.

Astuce

Les pois chiches en conserve vous feront gagner du temps : les pois chiches frais nécessitent, en effet, un trempage de 12 heures, puis environ 1 heure de cuisson.

Curry de pommes de terre
aux lentilles rouges

Transformation réussie : enrobée de curcuma et parfumée au gingembre, la pomme de terre se montre ici sous un angle exotique.

Ingrédients

200 g de lentilles rouges
Sel
1 cuill. à café de curcuma en poudre
2 pincées de poivre de Cayenne
500 g de pommes de terre à chair ferme
2 tomates · 2 oignons
3 gousses d'ail
20 g de gingembre
4 ou 5 cuill. à soupe de ghee ou de beurre clarifié
1 cuill. à café de coriandre en poudre
1/2 cuill. à café de graines de cumin
1 à 2 cuill. à café de pâte de curry rouge
1/2 bouquet de coriandre

Préparation

POUR 4 PERSONNES

1. Rincez les lentilles à l'eau froide jusqu'à ce que l'eau soit claire, égouttez-les et versez-les dans une casserole contenant 1 litre d'eau. Ajoutez le sel, le curcuma, 1 pincée de poivre et faites cuire les lentilles 20 minutes à feu doux, elles doivent rester fermes. Versez-les dans une passoire pour les égoutter.
2. Épluchez les pommes de terre et coupez-les en dés. Entaillez les tomates et ébouillantez-les. Pelez les tomates, retirez les graines et coupez la chair en morceaux. Épluchez et émincez les oignons. Épluchez et hachez finement l'ail. Pelez le gingembre et râpez le fin.
3. Faites fondre le ghee ou le beurre clarifié dans une casserole et faites-y revenir les oignons, l'ail et le gingembre. Ajoutez la coriandre, le cumin, et assaisonnez avec le reste de poivre et la pâte de curry. Ajoutez les pommes de terre et les tomates. Versez 25 cl d'eau et couvrez. Faites mijoter les légumes 15 minutes à feu doux. Ajoutez les lentilles et faites-les chauffer 5 minutes, ajoutez un peu d'eau si nécessaire. Rectifiez l'assaisonnement du curry avec du sel et du poivre de Cayenne.
4. Rincez et secouez la coriandre pour la sécher. Effeuillez les tiges et hachez grossièrement les feuilles. Décorez le curry avec la coriandre et servez-le avec des pappadam (galettes à base de farine de lentilles).

Lentilles
aux mange-tout et au tofu

Ingrédients

225 g de lentilles du Puy

4 carottes

500 g de haricots mange-tout

4 oignons

2 gousses d'ail

3 cuill. à soupe d'huile

1 cuill. à soupe de beurre

400 g de tofu

50 cl de bouillon de légumes

2 piments rouges secs

2 cuill. à soupe de curry en poudre

Sel · Poivre du moulin

Préparation

POUR 4 PERSONNES

1. Faites tremper les lentilles pendant 3 heures. Jetez l'eau de trempage, égouttez les lentilles, versez-les dans un faitout rempli d'eau. Couvrez le faitout et faites cuire les lentilles 30 minutes.
2. Grattez les carottes et coupez-les en gros bâtonnets. Parez, rincez et coupez les mange-tout en gros tronçons. Épluchez les oignons et l'ail, émincez les oignons et hachez finement l'ail.
3. Faites chauffer l'huile et le beurre dans une poêle. Versez-y le tofu et faites-le dorer. Posez le tofu sur du papier absorbant. Faites revenir les oignons et l'ail à feu doux dans la poêle, ajoutez les carottes et les mange-tout. Versez le bouillon, les piments et le curry, et mélangez. Couvrez et laissez mijoter 30 minutes.
4. Ajoutez les lentilles et faites-les réchauffer. Ajoutez le tofu et mélangez. Rectifiez l'assaisonnement avec du sel et du poivre et servez les lentilles parsemées de persil.

Curry de pommes de terre
au potiron et aux cacahuètes

Ingrédients

600 g de potiron
1 oignon
800 g de pommes de terre à chair ferme
2 cuill. à soupe d'huile
2 cuill. à café de gingembre râpé
1/2 cuill. à café de piment en poudre
40 cl de lait de coco
1 piment rouge
1 cuill. à café de garam masala
2 cuill. à soupe de cacahuètes
2 cuill. à soupe de coriandre hachée

Préparation

POUR 4 PERSONNES

1 Épluchez le potiron, retirez les graines et coupez la chair en morceaux de la grosseur d'une bouchée. Épluchez et émincez l'oignon. Brossez les pommes de terre sous l'eau, et partagez-les en huit.

2 Faites chauffer l'huile dans une casserole et faites-y revenir l'oignon avec le gingembre. Ajoutez la poudre de piment, remuez, puis ajoutez les pommes de terre. Versez le lait de coco et 15 cl d'eau sur les pommes de terre. Couvrez et laissez mijoter 10 minutes à feu moyen. Ajoutez le potiron, couvrez et laissez cuire les légumes 10 minutes en les remuant de temps en temps.

3 Parez, rincez et coupez le piment en petites rondelles. Ajoutez le garam masala, le piment rouge et les cacahuètes, et faites encore cuire le curry quelques instants. Servez ce curry de pommes de terre parsemé de coriandre hachée.

Curry de potiron épicé
aux germes de soja

Les contraires s'attirent et se complètent : la saveur douce du potiron est un partenaire de choix pour cette sauce subtilement épicée.

Ingrédients

800 g de potiron
5 échalotes
3 gousses d'ail
10 g de gingembre
2 piments rouges
2 cuill. à soupe d'huile
1 1/2 cuill. à café de garam masala
1 1/2 cuill. à. café de curcuma en poudre
1/2 cuill. à café de pâte de curry rouge
40 cl de lait de coco
50 cl de bouillon de poule
3 cuill. à soupe de jus de citron
Sel · Poivre du moulin
50 g de germes de soja
2 cuill. à soupe de persil haché

Préparation

POUR 4 PERSONNES

1. Épluchez le potiron, retirez les graines et coupez la chair en dés de 2 cm de côté. Épluchez et hachez l'ail et les échalotes. Réservez la valeur de 2 cuillerées à soupe de ce hachis pour la décoration. Partagez les piments, retirez les graines et coupez la chair en petits morceaux.

2. Faites chauffer l'huile dans une casserole. Versez-y le hachis d'ail et d'échalotes, ajoutez le gingembre et les piments, et faites revenir le tout. Ajoutez le garam masala, le curcuma et la pâte de curry, mélangez et faites griller les épices quelques instants. Versez le lait de coco et le bouillon, et mixez. Ajoutez les morceaux de potiron, portez à ébullition et laissez mijoter environ 15 minutes. La chair du potiron doit devenir souple.

3. Assaisonnez ce curry avec le jus de citron, du sel et du poivre. Versez les germes de soja dans une passoire, ébouillantez-les et laissez-les égoutter. Ajoutez le hachis d'ail et d'échalotes réservé, parsemez de persil et mélangez le curry. Décorez le curry de potiron avec des germes de soja et servez.

Astuce

La famille des courges, citrouilles et potirons compte de nombreux représentants. Certains ont une chair ferme, sucrée et parfumée. Le potimarron n'a pas besoin d'être pelé avant la cuisson.

Dal de lentilles jaunes
aux légumes

Un grand classique de la cuisine indienne qui fera la joie des connaisseurs et charmera les non-initiés.

Ingrédients

300 g de lentilles jaunes
4 cuill. à soupe de ghee
1 cuill. à café de garam masala
2 feuilles de laurier · Sel
500 g de légumes variés (haricots verts, chou-fleur, aubergines, courgettes)
1 cuill. à café de graines de moutarde noires
Poivre du moulin
Épices en poudre :
1 cuill. à café de curcuma
1/4 cuill. à café de piment
1/2 cuill. à café de paprika
1/2 cuill. à café de cumin
Noix de coco râpée pour la décoration

Préparation

POUR 4 PERSONNES

1. Rincez les lentilles à l'eau froide jusqu'à ce que l'eau soit claire et égouttez-les.
2. Faites fondre 2 cuillerées à soupe de ghee dans une casserole et faites griller rapidement le curcuma, le piment, le paprika, le cumin et le garam masala. Ajoutez les lentilles et faites-les revenir en les mélangeant. Ajoutez 1 l d'eau, 1 feuille de laurier et couvrez. Faites cuire les lentilles environ 20 minutes à feu moyen, en remuant régulièrement. Si le dal est trop épais, rajoutez un peu d'eau. Salez.
3. Coupez les légumes en petits morceaux. Faites griller les graines de moutarde à couvert avec la seconde feuille de laurier dans le reste de ghee fondu. Ajoutez les légumes, faites-les rapidement revenir, versez un peu d'eau et poursuivez la cuisson 5 minutes à couvert. Salez et poivrez.
4. Mettez le dal de lentilles dans des bols ou dans des assiettes creuses et parsemez de noix de coco râpée. Servez avec des pappadam.

Astuce

En Inde, les pappadam, galettes croustillantes à base de farine de lentilles, nature ou parfumées au cumin ou au piment, sont servies avec l'apéritif ou pour accompagner les plats.

Dal de lentilles
aux courgettes et carottes

Ingrédients

200 g de lentilles jaunes
1 gros oignon
1 aubergine
2 courgettes
2 carottes
2 cuill. à soupe de ghee
25 cl de bouillon de légumes
Le jus de 2 citrons verts · Sel
1/2 bouquet de coriandre
1 piment rouge
Épices en poudre :
1 cuill. à café de curcuma
2 cuill. à café de coriandre
2 cuill. à café de cumin
2 cuill. à café de moutarde

Préparation

POUR 4 PERSONNES

1. Rincez les lentilles à l'eau froide jusqu'à ce que l'eau soit claire et égouttez-les. Épluchez et émincez l'oignon. Parez et rincez l'aubergine et les courgettes, partagez-les en deux, puis coupez-les en rondelles. Grattez les carottes et coupez-les en rondelles.
2. Faites fondre le ghee dans une casserole et faites griller rapidement le curcuma, la coriandre, le cumin et la moutarde en poudre. Ajoutez l'oignon, l'aubergine, les courgettes et les carottes et faites revenir en mélangeant. Ajoutez les lentilles et le bouillon, et couvrez. Faites cuire environ 25 minutes à feu doux. Ajoutez le jus d'un citron vert.
3. Retirez la casserole du feu et laissez gonfler les lentilles 5 minutes à couvert, puis rectifiez l'assaisonnement avec du sel et le reste de jus de citron. Lavez et secouez la coriandre pour la sécher, effeuillez les tiges. Parez et rincez le piment, puis coupez-le en rondelles. Décorez le dal de lentilles avec du piment et des feuilles de coriandre.

Curry au potiron
et aux tomates

Ingrédients

250 g de riz basmati

10 tomates cerises

3 feuilles de citron vert kaffir

600 g de potiron

2 cuill. à soupe d'huile

1 cuill. à soupe de pâte de curry rouge

40 cl de lait de coco

1/2 bouquet de coriandre

Préparation

POUR 4 PERSONNES

1 Rincez le riz à l'eau froide jusqu'à ce que l'eau soit claire et égouttez-le. Faites bouillir 50 cl d'eau salée et versez le riz ; couvrez et faites cuire le riz 20 minutes à feu doux.

2 Rincez tomates et feuilles de citron vert. Épluchez le potiron, retirez les graines et coupez la chair en morceaux de la grosseur d'une bouchée. Faites chauffer l'huile et délayez la pâte de curry. Prélevez 5 cuillerées à soupe de lait de coco et ajoutez-les dans la casserole. Faites mijoter la crème 1 minute à feu doux.

3 Ajoutez les feuilles de citron, le potiron et le reste du lait de coco, et faites mijoter cette sauce 8 minutes à feu doux, en remuant fréquemment. Ajoutez les tomates et faites-les réchauffer.

4 Lavez et secouez la coriandre pour la sécher, effeuillez les tiges et parsemez les feuilles sur le curry. Servez le curry de potiron avec le riz.

Curry de chou
aux lamelles de noix de coco

Bonne humeur de mise avec cette recette pleine de fantaisie : parfumée à la noix de coco et au citron.

Ingrédients

800 g de chou de Milan
2 oignons
1 gousse d'ail
1 piment rouge
3 cuill. à soupe d'huile
40 cl de lait de coco non sucré
Zeste de 1/2 citron non traité
Sel · Poivre du moulin
50 g de noix de coco fraîche (ou 2 cuill. à soupe de noix de coco râpée)

Préparation

POUR 4 PERSONNES

1. Parez le chou, rincez et coupez les feuilles en lamelles de 2 cm de large. Épluchez et hachez finement l'ail et les oignons. Partagez le piment dans le sens de la longueur, retirez les graines, rincez et coupez la chair en fines lamelles.
2. Faites chauffer l'huile dans une casserole et faites revenir les oignons, l'ail et le piment 2 minutes. Ajoutez le chou et faites-le revenir 5 minutes, en remuant fréquemment.
3. Versez le lait de coco. Ajoutez le zeste de citron et salez les légumes. Laissez mijoter 8 à 10 minutes à feu doux, en remuant fréquemment, les légumes doivent rester croquants.
4. Rectifiez l'assaisonnement du curry avec du sel et du poivre. Découpez des lamelles de noix de coco avec un couteau économe. Répartissez les lamelles de noix de coco sur les légumes et servez.

Astuce

Pour ouvrir une noix de coco : percez les « yeux » de la noix à l'aide d'une pointe et d'un marteau. Récupérez le jus. Sciez partiellement la noix et concassez-la avec le marteau.

Curry de chou-fleur
aux courgettes et carottes

Opposition de saveurs : une onctueuse sauce au lait de coco parfumée au safran pour atténuer la saveur piquante des épices.

Ingrédients

1 petit chou-fleur
6 petites carottes
4 oignons nouveaux
4 petites courgettes
1 piment rouge
3 cuill. à soupe de ghee
1 dose de stigmates de safran
1/2 cuill. à café de gingembre râpé
Épices en poudre :
1 cuill. à café de curcuma
1 cuill. à café de cumin
Sel · Poivre du moulin
40 cl de lait de coco
Le jus de 1/2 citron

Préparation

POUR 2 PERSONNES

1. Parez et rincez le chou-fleur, puis séparez les fleurettes. Grattez les carottes, partagez-les en deux dans le sens de la longueur, puis coupez-les en tronçons de 4 cm. Parez les oignons et coupez-les en morceaux de 4 cm. Parez, rincez et partagez les courgettes dans le sens de la longueur. Parez, rincez et coupez le piment en rondelles.
2. Portez de l'eau salée à ébullition, plongez le chou-fleur dans la casserole et faites-le blanchir 3 minutes, ajoutez les carottes, les oignons et les courgettes, et poursuivez la cuisson 5 minutes. Égouttez les légumes.
3. Faites fondre le ghee dans une casserole et faites griller rapidement le piment, le safran, le curcuma, le gingembre et le cumin. Ajoutez les légumes et faites-les revenir 4 minutes en les mélangeant. Salez et poivrez. Ajoutez le lait de coco et le jus de citron, et faites bouillir la sauce. Décorez le curry de chou-fleur avec des brins de coriandre.

Astuce

Selon sa teneur en capsaïcine, substance présente dans la chair, un piment est plus ou moins fort. Rincez le couteau et la planche à découper. Lavez-vous les mains et évitez de vous frotter les yeux.

Dal de lentilles rouges
à la tomate

Ingrédients

300 g de lentilles rouges

2 cuill. à soupe de ghee

1 cuill. à café de garam masala

Épices en poudre :

1/2 cuill. à café de curcuma

1/4 cuill. à café de piment

1/2 cuill. à café de paprika

1/2 cuill. à café de cumin

1 feuille de laurier

2 ou 3 tomates

Sel

Préparation

POUR 4 PERSONNES

1 Rincez les lentilles à l'eau froide dans une passoire jusqu'à ce que l'eau soit claire et laissez-les égoutter.

2 Faites fondre le ghee dans une casserole. Ajoutez le curcuma, le piment, le paprika, le cumin et le garam masala, et faites griller. Ajoutez les lentilles et faites-les revenir quelques instants en remuant. Ajoutez environ 1 l d'eau et le laurier, puis laissez mijoter à couvert 20 minutes à feu doux en remuant. Si le dal est trop épais, ajoutez de l'eau.

3 Ébouillantez les tomates pour pouvoir les peler plus facilement, pelez-les, épépinez-les et coupez la chair en dés. Salez le dal de lentilles, répartissez-le dans des bols ou des assiettes creuses et garnissez de tomates. Parsemez de coriandre et servez avec des chapati, galettes azymes à la farine de blé (recette p. 8).

Curry de pommes de terre
aux racines de yam

Ingrédients

1 kg de racines de yam
2 patates douces
70 g d'ocras
1 oignon · 2 gousses d'ail · Sel
4 cuill. à soupe de ghee
1 cuill. à café de gingembre râpé
2 capsules de cardamome
2 cuill. à café de sucre
1 cuill. à soupe
de pâte vindaloo
1 cuill. à soupe
de coriandre en poudre
3/4 cuill. à café
de curcuma en poudre
200 g de yaourt nature

Préparation

POUR 4 PERSONNES

1 Pelez les racines de yam et coupez-les en dés de la grosseur d'une bouchée. Épluchez les patates et coupez-les en dés. Plongez les racines de yam dans de l'eau bouillante salée et faites-les cuire 5 minutes, ajoutez les patates et poursuivez la cuisson 10 minutes. Lavez les ocras, frottez-les avec un linge humide puis coupez-les en morceaux.

2 Épluchez et émincez l'oignon et l'ail. Faites fondre le ghee dans une casserole et faites-y revenir rapidement l'oignon, l'ail et le gingembre. Ouvrez les capsules de cardamome, versez les graines dans la casserole, ajoutez le sucre, la pâte vindaloo, la poudre de coriandre et de curcuma, et faites revenir 3 minutes en remuant.

3 Égouttez les patates et les morceaux de yam, versez-les dans la casserole contenant l'oignon et les épices, ajoutez les ocras et poursuivez la cuisson du curry 5 minutes.

4 Retirez la casserole du feu, ajoutez le yaourt et mélangez. Servez le curry de patates douces avec du riz basmati ou des pappadam.

Curry de chou-fleur
au poivron et aux lentilles

Le chou-fleur, légume très apprécié en Inde, s'associe avec les épices pour devenir une star internationale.

Ingrédients

200 g de lentilles rouges
350 g environ de chou-fleur
2 oignons
4 tomates
1 poivron vert
1 piment rouge
4 cuill. à café de ghee
2 feuilles de laurier
1 cuill. à café de curcuma en poudre
1 cuill. à café de cumin en poudre
Sel
3 brins de coriandre
1 cuill. à café de garam masala

Préparation

POUR 4 PERSONNES

1 Rincez les lentilles à l'eau froide dans une passoire jusqu'à ce que l'eau soit claire et laissez-les égoutter.

2 Parez et rincez le chou-fleur, séparez les fleurettes. Épluchez et coupez les oignons en petits dés. Ébouillantez les tomates pour pouvoir les peler plus facilement, pelez-les, épépinez-les et coupez la chair en morceaux. Partagez le poivron, retirez les graines, rincez-le et coupez-le en morceaux. Partagez le piment, retirez les graines, rincez-le et hachez-le finement.

3 Faites fondre le ghee. Versez les oignons dans la casserole et faites-les revenir. Ajoutez le piment, les feuilles de laurier, le curcuma et le cumin en poudre et faites griller 2 minutes. Ajoutez les lentilles, le chou, les tomates et le poivron, mouillez les légumes avec 1 1/2 l d'eau et portez à ébullition. Salez les légumes, couvrez la casserole et laissez cuire 25 minutes à feu doux.

4 Lavez et secouez la coriandre pour la sécher, effeuillez les tiges et hachez-les finement. Parsemez le curry de feuilles de coriandre et de garam masala, et servez.

Astuce

Le garam masala est un mélange d'épices très utilisé dans les recettes indiennes. On peut acheter le mélange prêt à l'emploi ou le préparer soi-même avec les épices nécessaires (recette p. 9).

Curry de légumes
au poivron et au couscous

Du couscous et du curry ? Pourquoi pas ! Le mariage culinaire entre l'Afrique et l'Asie va ravir le palais de tous les gourmets.

Ingrédients

4 oignons
4 gousses d'ail
1 piment rouge
4 poivrons orange
240 g de pois chiches
600 g de pommes de terre à chair ferme bouillies
6 cuill. à soupe d'huile
40 cl de lait de coco
1 cuill. à café de piment en poudre
2 cuill. à café de curcuma en poudre
300 g de couscous précuit
2 à 3 cuill. à soupe de beurre
Sel · Poivre du moulin

Préparation

POUR 6 PERSONNES

1. Épluchez et émincez les oignons. Pelez l'ail et pressez-le. Partagez le piment, retirez les graines, rincez-le et émincez-le. Partagez les poivrons, retirez les graines, rincez-les et émincez-les. Égouttez les pois chiches dans une passoire. Pelez les pommes de terre bouillies et coupez-les en morceaux de la grosseur d'une bouchée.
2. Faites chauffer l'huile dans une casserole et faites-y revenir les oignons. Ajoutez le piment, les poivrons et les pommes de terre et faites-les revenir 5 minutes en remuant fréquemment. Ajoutez l'ail pressé, les pois chiches et le lait de coco. Assaisonnez le curry avec le piment et le curcuma en poudre, couvrez et laissez mijoter les légumes 20 minutes à feu doux.
3. À mi-cuisson, versez le couscous dans un saladier et ébouillantez-le avec 30 cl d'eau, couvrez et laissez gonfler la semoule 5 à 7 minutes. Remuez le couscous avec une fourchette pour séparer les graines de semoule et ajoutez le beurre.
4. Salez et poivrez le curry de légumes, décorez-le de feuilles de menthe et servez-le avec le couscous.

Astuce

Vous pouvez remplacer le couscous par du riz basmati ou le servir avec des galettes. À la place des pommes de terre vous pouvez utiliser du potiron ou des patates douces.

Curry de légumes
aux pommes de terre

Ingrédients

2 cuill. à soupe de ghee
1 cuill. à café de graines de moutarde noires
8 grains de poivre noir
1/4 de cuill. à café de girofle
1/2 cuill. à café de coriandre
1 cuill. à café de garam masala
1/2 cuill. à café de cumin
1/4 de cuill. à café de fenouil moulu
1 petite boîte de tomates
400 g de pommes de terre à chair ferme
400 g de légumes variés
3 feuilles de laurier · Sel
1 pincée de cannelle en poudre et de noix de muscade râpée

Préparation

POUR 4 PERSONNES

1 Faites fondre le ghee dans un faitout et faites griller les graines de moutarde et le poivre, à couvert, jusqu'à ce qu'ils ne sautent plus. Ajoutez les autres épices et poursuivez la cuisson quelques instants. Concassez les tomates à la fourchette dans le faitout et laissez mijoter 10 minutes à feu doux.

2 Épluchez et lavez les pommes de terre, puis coupez-les en dés. Ajoutez-les aux tomates avec les légumes coupés en morceaux et les feuilles de laurier. Salez et ajoutez 25 cl d'eau. Couvrez le faitout et faites cuire le curry 20 minutes à feu doux en remuant régulièrement.

3 Assaisonnez le curry avec la cannelle, la noix de muscade et un peu de sel, puis laissez-le tiédir quelques minutes hors du feu afin que les épices imprègnent bien les légumes. Vous pouvez décorer avec des rondelles d'oignon et de piment, des quartiers de tomates et d'œuf dur. Servez ce curry avec du riz basmati.

Curry de pommes de terre
aux noix de cajou

Ingrédients

500 g de petites courgettes
300 g de tomates
1 kg de pommes de terre à chair ferme
1 gros oignon
1 gousse d'ail
20 g de gingembre
2 cuill. à soupe de ghee
1 cuill. à soupe de curry en poudre
1 cuill. à café de cumin en poudre
Sel
Poivre du moulin
50 cl de bouillon
60 g de noix de cajou

Préparation

POUR 4 PERSONNES

1. Coupez l'extrémité des courgettes, rincez-les et détaillez-les en petits morceaux. Rincez les tomates, ôtez le pédoncule, et coupez-les en quartiers. Coupez en gros dés les pommes de terre épluchées et lavées. Pelez et émincez l'oignon et l'ail. Épluchez le gingembre et hachez-le finement.

2. Faites fondre le ghee dans un faitout et faites sauter les pommes de terre. Ajoutez les courgettes et faites revenir le tout. Incorporez l'oignon, l'ail et le gingembre, poursuivez la cuisson quelques instants, puis assaisonnez avec le curry, le cumin, le sel et le poivre. Ajoutez les tomates et le bouillon, et laissez mijoter 15 minutes à feu doux. Rectifiez éventuellement l'assaisonnement en sel et poivre.

3. Faites dorer les noix de cajou à sec dans une poêle. Répartissez le curry de pommes de terre dans des assiettes creuses ou des bols. Décorez avec les noix de cajou grillées et, si vous en aimez le goût, quelques graines de cumin.

Curry aux œufs
et à la tomate

Une recette simple et raffinée : pour pimenter le quotidien, essayez les « œufs perdus » version asiatique.

Ingrédients

8 œufs · 2 oignons
1 gousse d'ail · 1 piment rouge
3 cuill. à soupe de ghee
1/2 cuill. à café de cumin en poudre
1/2 cuill. à café de curcuma en poudre
1 cuill. à café de gingembre râpé
50 g de crème fraîche
425 g de tomates concassées (en conserve)
1 cuill. à soupe de concentré de tomates
1 cuill. à café de garam masala
1/2 cuill. à café de poivre de Cayenne
Sel

Préparation

POUR 4 PERSONNES

1. Faites durcir les œufs. Épluchez l'ail et les oignons, puis coupez-les en petits dés. Partagez le piment, retirez les graines, rincez-le et émincez-le.
2. Faites fondre le ghee dans une poêle et faites griller le cumin et le curcuma. Ajoutez les oignons, l'ail, les morceaux de piment et le gingembre, et faites revenir le tout.
3. Ajoutez la crème fraîche, les tomates concassées et le concentré de tomates, et faites mijoter la sauce 4 minutes. Assaisonnez le curry avec le garam masala, le poivre de Cayenne et du sel.
4. Écalez les œufs durs et partagez-les en deux. Répartissez les demi-œufs dans la sauce, et faites-les réchauffer. Parsemez le curry aux œufs de feuilles de coriandre et servez-le avec des pappadam ou des chapati.

Astuce

Le gingembre frais se conserve 1 semaine, dans le bac à légumes du réfrigérateur. Les jeunes racines de gingembre ont une saveur fruitée. En vieillissant elles deviennent fibreuses et ont un arôme plus soutenu.

Curry de légumes
aux petits pois

La séduction à l'état pur : l'arôme des épices orientales transforme des ingrédients de tous les jours en un festival de saveurs.

Ingrédients

300 g d'oignons
1 gousse d'ail
700 g de pommes de terre à chair ferme
10 g de gingembre
2 cuill. à soupe de ghee
1 cuill. à café de curcuma
1 pincée de poivre de Cayenne
50 cl de bouillon de légumes
150 g de petits pois · Sel
500 g de petits champignons de Paris
1 cuill. à café de cardamome
1 cuill. à café de cannelle en poudre
1 cuill. à café de clous de girofle en poudre
1 cuill. à café de cumin
1/2 cuill. à café de poivre du moulin

Préparation

POUR 4 PERSONNES

1. Épluchez l'ail et les oignons, et coupez-les en petits dés. Pelez les pommes de terre et partagez-les en deux. Pelez et râpez finement le gingembre.
2. Faites fondre 1 cuillerée à soupe de ghee dans un faitout et faites revenir les oignons, l'ail et le gingembre. Ajoutez le curcuma et le poivre de Cayenne, et mélangez. Ajoutez les pommes de terre et faites-les revenir rapidement. Versez le bouillon, couvrez et laissez cuire les pommes de terre 15 minutes. Ajoutez les petits pois et laissez mijoter le curry 5 minutes. Salez.
3. Frottez les champignons avec du papier absorbant. Partagez les plus gros en deux. Faites fondre le reste de ghee dans une poêle et faites revenir les champignons. Ajoutez les champignons dans le faitout.
4. Faites griller les épices à sec dans une poêle à revêtement anti-adhésif. Répartissez le curry dans des bols et saupoudrez-le d'épices grillées. Décorez avec des feuilles de citron vert hachées et servez ce curry avec du riz basmati.

Astuce

Le ghee indien est un beurre clarifié. Vous pouvez facilement le préparer vous-même (recette p. 9) mais, si cela vous semble fastidieux, vous pouvez l'acheter tout prêt ou le remplacer par du beurre.

Curry de patates douces
à la sauce au yaourt

Ingrédients

250 g de haricots verts · Sel
250 g d'oignons nouveaux
3 poivrons rouges
10 g de gingembre
300 g de carottes
200 g de pommes de terre à chair ferme · 100 g de yaourt nature
500 g de patates douces
5 cuill. à soupe d'huile
2 pincées de cardamome
1 cuill. à café de curcuma
3 pincées de cumin en poudre
3 pincées de paprika en poudre
2 pincées de clous de girofle
25 cl de lait de coco
25 cl de bouillon de légumes

Préparation

POUR 4 PERSONNES

1 Parez et rincez les haricots verts puis coupez-les en gros tronçons. Faites-les blanchir à l'eau salée, versez-les dans une passoire, passez-les sous un jet d'eau froide et laissez égoutter.

2 Parez et rincez les oignons, coupez la tige verte en rondelles et hachez la partie blanche. Partagez les poivrons, retirez les graines, rincez-les et coupez-les en lamelles. Épluchez et râpez le gingembre. Pelez les pommes de terre, les patates douces et les carottes, puis coupez-les en morceaux de la grosseur d'une bouchée.

3 Faites chauffer 3 cuillerées à soupe d'huile dans un faitout et faites revenir les oignons, les poivrons, le gingembre et les épices. Retirez les trois quarts des légumes et réservez-les.

4 Versez le reste d'huile dans le faitout et faites sauter pommes de terre et patates douces. Ajoutez le lait de coco et le bouillon, couvrez le faitout et laissez mijoter les légumes 7 minutes. Ajoutez carottes et haricots, prélevez 1 cuillerée à soupe de légumes réservés, et versez le reste dans le faitout. Laissez cuire 3 minutes et salez. Mélangez le yaourt avec les légumes réservés et servez le curry accompagné de sauce au yaourt.

Pois chiches korma
au gingembre et piment

Ingrédients

250 g de pois chiches
2 oignons · 3 gousses d'ail
2 piments rouges
1 cuill. à café de gingembre frais râpé
50 g d'amandes en poudre
2 cuill. à soupe de ghee
1/4 cuill. à café de cardamome
1/2 cuill. à café de cannelle
1/2 cuill. à café de coriandre
1/2 cuill. à café de cumin
40 cl de lait de coco
Sel · Sucre
1 1/2 cuill. à café de garam masala

Préparation

POUR 4 PERSONNES

1 Faites tremper les pois chiches une nuit. Pelez et hachez finement l'ail et les oignons. Coupez les piments en deux dans le sens de la longueur et émincez-les après les avoir épépinés et rincés. Mélangez l'ail, l'oignon, le piment, le gingembre et les amandes.

2 Faites fondre le ghee dans un faitout et faites griller rapidement la cardamome, la cannelle, le cumin et la coriandre. Incorporez le mélange à base d'amandes et faites revenir 2 à 3 minutes en remuant. Égouttez les pois chiches dans une passoire et ajoutez-les dans le faitout avec le lait de coco. Laissez mijoter environ 1 heure à feu doux sans couvrir, jusqu'à ce que les pois chiches soient tendres.

3 Assaisonnez les pois chiches korma avec le sel, le sucre et le garam masala. Décorez de quelques rondelles d'oignon et servez avec du riz basmati.

Currys de poisson

Curry aux crevettes
et aux tomates

À la pêche aux compliments : en présentant ce curry aux crevettes sur la table, vous allez soulever l'enthousiasme de vos invités.

Ingrédients

2 tiges de citronnelle
1 oignon
1 gousse d'ail
2 piments verts
200 g de tomates cerises
1 bouquet de coriandre
200 g de crevettes décortiquées
1 cuill. à soupe d'huile de sésame
Sel
40 cl de lait de coco

Préparation

POUR 4 PERSONNES

1. Parez la citronnelle, jetez les feuilles extérieures et la moitié supérieure sèche des tiges, coupez la partie blanche en fines rondelles. Épluchez l'ail et l'oignon, et coupez-les en dés. Coupez les piments en deux dans le sens de la longueur et émincez-les après les avoir épépinés et lavés.
2. Rincez et partagez les tomates en deux. Rincez et secouez la coriandre pour la sécher puis effeuillez les tiges. Rincez et séchez les crevettes.
3. Faites chauffer l'huile dans une poêle et faites-y revenir la citronnelle, l'oignon, l'ail et les piments quelques minutes. Ajoutez les crevettes dans la poêle et faites-les sauter 1 à 2 minutes à feu vif en remuant fréquemment. Salez, puis retirez les crevettes.
4. Ajoutez le lait de coco et les tomates, réduisez le feu et laissez mijoter la sauce 3 minutes. Ajoutez les crevettes et la coriandre, et faites chauffer sans faire bouillir la sauce. Servez ce curry de crevettes avec du riz basmati.

Astuce

Vous pouvez remplacer les crevettes par des filets de poisson à chair ferme, essayez le grondin, par exemple ou, plus raffiné mais plus cher, des filets de loup ou de loche.

Curry de la mer
aux calmars

Tous les trésors de la mer sont rassemblés dans ce curry : le grondin est accompagné de crevettes et de calmars.

Ingrédients

125 g de crevettes décortiquées
125 g de blancs de calmars
1 filet de grondin de 125 g
Sel · Poivre du moulin
2 cuill. à soupe de jus de citron
1 oignon · 2 gousses d'ail
1 piment rouge
1 tige de citronnelle
3 feuilles de citronnier kaffir
2 cuill. à soupe d'huile de sésame
40 cl de lait de coco
2 cuill. à café de pâte de curry verte
Sucre de palme
2 cuill. à soupe de fond de poisson
150 g de nouilles chinoises aux œufs

Préparation

POUR 4 PERSONNES

1. Rincez et séchez les crevettes, les calmars et le filet de grondin. Coupez le grondin et les blancs de calmars en morceaux de la grosseur d'une bouchée. Assaisonnez les crevettes avec du sel, du poivre et un filet de jus de citron.

2. Épluchez l'ail et l'oignon et coupez-les en dés. Coupez le piment en deux dans le sens de la longueur et émincez-le après l'avoir épépiné et lavé. Parez la citronnelle, jetez les feuilles extérieures et la moitié supérieure sèche des tiges, coupez la partie blanche en fines rondelles. Rincez et séchez les feuilles de citronnier.

3. Faites chauffer 1 cuillerée à soupe d'huile dans une poêle et faites-y revenir rapidement la citronnelle, l'oignon, l'ail et le piment. Ajoutez le lait de coco et les feuilles de citronnier, puis la pâte de curry et mélangez. Faites bouillir la sauce, puis laissez-la mijoter 3 minutes. Retirez les feuilles de citronnier. Assaisonnez la sauce avec le sucre et le fond de poisson.

4. Faites chauffer de l'eau dans un faitout, versez les nouilles chinoises dans l'eau bouillante. Retirez le faitout du feu et laissez gonfler les nouilles 5 minutes. Remuez les nouilles puis égouttez-les dans une passoire.

5. Ajoutez les crevettes et les morceaux de grondin dans la sauce et laissez-les mijoter 3 à 4 minutes. Faites chauffer le reste d'huile dans une poêle et faites sauter les calmars 2 minutes à feu vif.

6. Dressez les nouilles sur des assiettes et nappez-les avec le curry de poisson. Décorez avec des pois gourmands blanchis et des brins de menthe.

Curry de crevettes
aux pois gourmands

Ingrédients

60 cl de lait de coco

12,5 cl de bouillon de volaille

1 gousse de vanille

1 cuill. à soupe de pâte
de curry verte

100 g de pois gourmands

100 g de petits épis de maïs

400 g de crevettes décortiquées

1 piment rouge

1 ou 2 cuill. à café de sucre roux

Feuilles de coriandre
pour la décoration

Préparation

POUR 4 PERSONNES

1 Versez le lait de coco et le bouillon dans un faitout et portez à ébullition. Fendez la gousse de vanille, retirez les graines avec un couteau pointu et versez-les dans le lait de coco avec la pâte de curry.

2 Parez, lavez et coupez les pois gourmands en morceaux. Égouttez les épis de maïs et partagez-les en deux dans le sens de la longueur. Versez-les dans le faitout et faites-les mijoter 3 minutes.

3 Rincez et séchez les crevettes, versez-les dans le faitout, réduisez le feu et faites-les réchauffer dans la sauce.

4 Coupez le piment en deux dans le sens de la longueur et émincez-le après l'avoir épépiné et lavé. Versez-le dans le curry et assaisonnez avec du sucre. Servez le curry de crevettes avec des feuilles de coriandre et du riz basmati.

Crevettes au curry
au curcuma et à la banane

Ingrédients

1 gros oignon · 1 gousse d'ail
3 cuill. à soupe de ghee
2 cuill. à soupe de farine
2 cuill. à café de curry en poudre
2 cuill. à café de curcuma en poudre
25 cl de bouillon de volaille
1 banane
4 cuill. à soupe de crème fraîche
Sel · Poivre du moulin
1 pincée de gingembre en poudre
1 cuill. à café de jus de citron
500 g de crevettes décortiquées
1/2 bouquet de persil

Préparation

POUR 4 PERSONNES

1 Pelez et hachez fin l'oignon et l'ail.
Faites fondre le ghee dans un faitout et faites blondir l'oignon et l'ail. Saupoudrez de farine, de curry et de curcuma, puis faites revenir le tout quelques instants.

2 Faites chauffer le bouillon additionné d'eau 5 minutes. Épluchez la banane et écrasez-la à la fourchette dans le bouillon. Incorporez cette purée à la sauce au curry, ainsi que la crème. Salez et poivrez, puis ajoutez le gingembre et le jus de citron.

3 Rincez et séchez les crevettes. Ajoutez-les à la sauce et faites cuire le tout 3 à 4 minutes. Lavez et séchez le persil et hachez finement les feuilles.

4 Disposez les crevettes au curry dans des bols ou des assiettes creuses et parsemez-les de persil. Servez avec des chapatis (voir p. 8) ou du riz basmati.

Curry de la mer
à la mangue

L'association inattendue de fruits et de crustacés donne à ce curry une note festive et raffinée.

Ingrédients

500 g de fruits de mer surgelés (crevettes, moules, calmars)
2 mangues
3 cuill. à soupe de noix de coco râpée
3 cuill. à soupe de lait de coco
2 pincées de piment en poudre
2 cuill. à soupe de curry en poudre
2 oignons · 3 gousses d'ail
1 grosse carotte
2 branches de céleri
2 cuill. à soupe d'huile
Jus de 1/2 citron
5 cuill. à soupe d'huile de sésame
Sel · Poivre du moulin

Préparation

POUR 4 PERSONNES

1. Faites décongeler les fruits de mer, rincez-les et séchez-les bien.
2. Épluchez les mangues et coupez la chair en tranches d'environ 5 mm d'épaisseur. Mixez-en la moitié avec la noix de coco râpée, le lait de coco, le piment en poudre, le curry et 3 cuillerées à soupe d'eau, jusqu'à ce que le mélange ait la consistance d'une sauce.
3. Épluchez les oignons et l'ail et émincez-les finement. Gardez quelques feuilles de céleri pour la décoration. Pelez la carotte et les branches de céleri, lavez-les et détaillez-les en dés.
4. Faites chauffer l'huile dans une poêle et faites-y revenir les légumes. Ajoutez les fruits de mer et saisissez-les rapidement. Incorporez la sauce à la mangue et laissez mijoter environ 8 minutes. Si le mélange devient trop épais, allongez-le avec un peu de lait de coco ou d'eau.
5. Assaisonnez le curry avec le jus de citron, l'huile de sésame, du sel et du poivre, et décorez-le avec le reste des tranches de mangue et les feuilles de céleri.

Astuce

La matière grasse contenue dans le lait de coco a tendance à se déposer en surface. Remuez-le avant utilisation pour bien l'homogénéiser, sauf si vous devez uniquement utiliser la crème.

Curry de la mer
au citron vert et aux épinards

Fruits de la mer en habit de verdure : épinards, citron vert et pâte de curry verte apportent fraîcheur et dynamisme.

Ingrédients

500 g de fruits de mer surgelés (crevettes, moules, calmars)
3 feuilles de citronnier kaffir
1 citron vert non traité
300 g d'épinards frais (ou 100 g d'épinards en branches surgelés)
40 cl de lait de coco
2 cuill. à soupe de pâte de curry verte
25 cl de fumet de poisson
2 cuill. à soupe de fond de poisson
5 cuill. à soupe de sucre roux

Préparation

POUR 4 PERSONNES

1. Faites décongeler les fruits de mer, rincez-les et séchez-les bien. Rincez et séchez les feuilles de citronnier, puis coupez-les en fines lamelles. Rincez et essuyez le citron, râpez le zeste et pressez 1 cuillerée à soupe de jus. Triez et lavez les épinards. Égouttez-les et hachez les feuilles.
2. Prélevez la crème du lait de coco et versez-la dans la poêle. Ajoutez les feuilles de citronnier, le zeste de citron vert et la pâte de curry. Mélangez et faites chauffer la crème 5 minutes. Versez le reste de lait de coco et le fumet de poisson, et portez le mélange à ébullition.
3. Ajoutez les fruits de mer dans la sauce et faites cuire à feu doux 5 minutes ; les fruits de mer doivent rester fermes. Ajoutez les épinards hachés et assaisonnez le curry avec le fond de poisson, du sucre et le jus du citron vert. Décorez le curry avec du zeste de citron et servez-le accompagné de riz basmati.

Astuce

Différentes pâtes de curry sont utilisées en Thaïlande pour relever les sauces : les rouges pour les viandes blanches, le poisson et le bœuf, les vertes pour le poisson et les jaunes pour la dinde et le bœuf.

Curry de saumon
aux nouilles chinoises

Ingrédients

400 g de saumon (filet)

1 poireau

1 oignon

1 piment rouge

2 tiges de citronnelle

20 g de gingembre

2 cuill. à soupe d'huile

2 cuill. à café de pâte de curry jaune

40 cl de lait de coco

Sel · Sucre

1 à 2 cuill. à soupe de sauce d'huîtres

200 g de nouilles chinoises

Préparation

POUR 4 PERSONNES

1 Coupez le saumon en morceaux de la grosseur d'une bouchée. Parez et lavez le poireau, coupez-le en rondelles. Épluchez l'oignon et coupez-le en dés. Partagez le piment en deux dans le sens de la longueur, épépinez-le, lavez et coupez la chair en dés.

2 Parez la citronnelle, jetez les feuilles extérieures et la moitié supérieure sèche des tiges, coupez la partie blanche en fines rondelles. Épluchez et râpez le gingembre.

3 Faites chauffer l'huile dans la poêle et faites-y revenir rapidement l'oignon, le piment et le gingembre. Ajoutez le poireau, la citronnelle, la pâte de curry et le lait de coco, et mélangez. Salez et laissez mijoter 3 à 4 minutes. Ajoutez le saumon, assaisonnez le curry avec du sucre et de la sauce d'huîtres, faites cuire 3 minutes.

4 Versez les nouilles dans une casserole d'eau bouillante, retirez la casserole du feu et laissez-les gonfler 5 minutes. Remuez, puis versez les nouilles dans une passoire et laissez-les égoutter. Dressez les nouilles dans des bols et répartissez le curry de saumon dessus.

Curry de poisson
aux champignons shiitake

Ingrédients

150 g de nouilles chinoises aux œufs
400 g de filet de poisson (turbot, flétan ou aiglefin)
120 g de champignons shiitake
1 piment rouge
1 cuill. à soupe d'huile
2 cuill. à soupe de pâte de curry rouge
50 cl de fumet de poisson
40 cl de lait de coco
1 cuill. à café de fécule
2 cuill. à soupe de sauce de poisson
Sel · Jus de 1 citron

Préparation

POUR 4 PERSONNES

1 Versez les nouilles dans une casserole d'eau bouillante, retirez la casserole du feu et laissez-les gonfler 5 minutes. Remuez, puis versez les nouilles dans une passoire et laissez-les égoutter.

2 Coupez le filet de poisson en dés de la grosseur d'une bouchée. Triez les champignons et frottez-les avec du papier absorbant. Lavez le piment et coupez-le en fines rondelles.

3 Faites revenir les shiitake dans une poêle avec l'huile. Ajoutez la pâte de curry, le fumet de poisson et le lait de coco, et portez à ébullition. Ajoutez les dés de poisson, réduisez le feu et laissez cuire 2 à 3 minutes.

4 Délayez la fécule dans un bol avec 1 cuillerée à café d'eau et incorporez-la au curry. Laissez épaissir la sauce, puis assaisonnez-la avec du sel, le jus de citron et la sauce de poisson. Ajoutez les nouilles dans la poêle et faites-les juste réchauffer. Servez ce curry avec des rondelles de piment et des feuilles de coriandre.

Roulé de sole au curry
sur lit de riz basmati

La perfection : des filets de sole tendres et moelleux accompagnés de tomates fruitées et de riz délicatement parfumé.

Ingrédients

200 g de riz basmati
500 g de tomates
2 échalotes
1 gousse d'ail
1 petite aubergine
8 filets de sole
Sel · Poivre du moulin
Jus de 1/2 citron
6 cuill. à soupe d'huile
2 cuill. à soupe de curry en poudre
2 cuill. à soupe de persil haché

Préparation

POUR 4 PERSONNES

1. Rincez le riz jusqu'à ce que l'eau devienne claire. Faites bouillir 40 cl d'eau salée dans une casserole et jetez le riz en pluie. Faites-le cuire 20 minutes à feu doux.
2. Entaillez et ébouillantez les tomates pour les peler plus facilement. Épépinez-les et coupez les en quartiers. Épluchez l'ail et les échalotes, et émincez-les. Parez et lavez l'aubergine puis coupez-la en rondelles de 1 cm d'épaisseur.
3. Salez et poivrez les filets de sole et arrosez-les de jus de citron. Roulez les filets et piquez-les avec une pique en bois.
4. Faites chauffer 4 cuillerées à soupe d'huile dans une poêle et faites revenir les roulés de sole en les retournant. Retirez les roulés et faites-les égoutter sur du papier absorbant. Faites brunir les échalotes dans la poêle, ajoutez l'ail et faites-le revenir. Ajoutez la moitié des tomates, saupoudrez de curry et faites revenir quelques instants. Ajoutez un peu d'eau et portez le mélange à ébullition.
5. Versez le reste de tomates et les rondelles d'aubergine dans la poêle, ajoutez les roulés de sole, rectifiez l'assaisonnement avec du sel et du poivre, et laissez mijoter la sauce 5 minutes. Ajoutez le persil haché et mélangez. Répartissez le riz dans des bols, ajoutez les roulés de sole et les légumes, et parsemez de coriandre hachée.

Saumon mariné au curry
à la citronnelle

Un concentré d'arômes : prévoyez une quantité de riz avantageuse, pour pouvoir profiter entièrement de la marinade.

Ingrédients

450 g de filet de saumon
50 cl de bouillon de légumes
4 échalotes
2 gousses d'ail
15 g de galanga
1 tige de citronnelle
1/2 cuill. à café de copeaux de piment
1 cuill. à soupe de sauce de poisson
1 cuill. à café de sucre de palme ou roux

Préparation

POUR 4 PERSONNES

1. Avec un couteau bien aiguisé, coupez le filet de saumon en dés de 2 à 3 cm de côté.
2. Portez lentement le bouillon de légumes à ébullition. Épluchez les échalotes et l'ail et coupez-les en dés. Épluchez le galanga et râpez-le finement. Parez la citronnelle, jetez les feuilles extérieures et la moitié supérieure sèche des tiges, coupez la partie blanche en fines rondelles. Versez les échalotes, l'ail, le galanga, la citronnelle, les copeaux de piment, la sauce de poisson et le sucre dans le bouillon, mélangez et faites mijoter tous les ingrédients 15 minutes à feu doux.
3. Versez les dés de saumon dans le bouillon, et portez le bouillon à ébullition. Arrêtez le feu et laissez mariner le saumon 10 à 15 minutes. Servez le curry de saumon avec du riz basmati.

Astuce

Le galanga est un gingembre doux, dont on utilise le rhizome. Son goût est plus nuancé que celui du gingembre. C'est une épice très utilisée dans la cuisine du Sud-Est asiatique.

Crevettes au curry
au gingembre et amandes

Ingrédients

200 g de riz basmati

400 g de crevettes décortiquées

2 cuill. à soupe de jus de citron

1 gousse d'ail

30 g de gingembre

2 cuill. à soupe d'huile

1 cuill. à soupe de pâte de curry rouge

30 cl de lait de coco

Sel · Poivre du moulin

2 cuill. à soupe d'amandes hachées

Préparation

POUR 4 PERSONNES

1 Rincez le riz sous un jet d'eau froide jusqu'à ce que l'eau soit claire. Faites bouillir 40 cl d'eau salée dans un faitout et faites cuire le riz 20 minutes à feu moyen.

2 Rincez les crevettes, séchez-les, puis arrosez-les de jus de citron. Épluchez l'ail et hachez-le menu. Épluchez le gingembre et coupez-le en fines lamelles. Faites chauffer l'huile dans une poêle pour faire dorer l'ail et le gingembre.

3 Ajoutez la pâte de curry et le lait de coco et portez le mélange à ébullition. Ajoutez les crevettes et faites-les cuire 4 minutes sans laisser bouillir la sauce. Salez et poivrez.

4 Faites griller les amandes à sec dans une poêle à revêtement anti-adhésif, puis ajoutez-les au curry. Répartissez le riz dans les assiettes et versez le curry de crevettes sur le riz. Décorez avec des feuilles de coriandre.

Curry de poisson antillais
à la noix de coco

Ingrédients

500 g de filets de poisson (cabillaud, turbot)
500 g de gambas décortiquées
2 cuill. à soupe de jus de citron
1 oignon · 3 gousses d'ail
2 à 4 piments
100 g de crevettes séchées
80 cl de lait de coco
100 g de cacahuètes en poudre
5 cuill. à soupe d'huile d'olive
1 feuille de laurier · Sel
2 cuill. à soupe de fécule

Préparation

POUR 6 PERSONNES

1 Arrosez les filets de poisson et les gambas de jus de citron, et placez-les au réfrigérateur. Épluchez et émincez l'oignon et l'ail. Partagez les piments en deux, épépinez-les, lavez et hachez finement la chair.

2 Faites revenir les crevettes séchées à la poêle, puis pilez-les dans un mortier. Versez le lait de coco avec les cacahuètes et les crevettes dans une casserole et faites mijoter 20 minutes sans couvrir.

3 Faites chauffer 3 cuillerées à soupe d'huile dans un faitout, et faites-y revenir ail, oignon, piment et laurier. Mouillez avec 40 cl d'eau et portez le tout à ébullition, salez. Ajoutez les filets de poisson et les gambas et faites cuire 15 minutes à feu doux.

4 Retirez le poisson et les gambas, passez le jus de cuisson et le lait de coco. Versez-les dans une casserole et faites chauffer le mélange. Ajoutez la fécule délayée avec un peu d'eau et faites épaissir la sauce 30 minutes. Ajoutez-y les filets de poisson, les gambas et l'huile restante, puis rectifiez l'assaisonnement.

Curry de poisson
aux courgettes

Ce délicieux curry délicatement parfumé au basilic thaï et au citron vert va séduire les palais les plus exigeants.

Ingrédients

800 g de filets de cabillaud
Sel
Jus de 1 citron
2 cuill. à soupe de sauce soja douce
1/2 botte d'oignons nouveaux
3 brins de basilic thaï
3 feuilles de citronnier kaffir
2 courgettes
40 cl de lait de coco
3 cuill. à soupe d'huile
2 à 3 cuill. à café de pâte de curry verte

Préparation

POUR 4 PERSONNES

1. Coupez les filets de poisson en morceaux de la grosseur d'une bouchée. Salez, et arrosez de jus de citron et de sauce soja, et laissez mariner 30 minutes.
2. Parez, rincez et émincez les oignons. Rincez et secouez les brins de basilic pour les sécher, effeuillez-les. Rincez les feuilles de citronnier et coupez-les en petites lamelles. Parez, rincez et coupez les courgettes en fines rondelles. Portez le lait de coco à ébullition dans un faitout et faites-le mijoter 5 minutes à feu doux.
3. Faites chauffer l'huile dans une grande poêle et faites-y sauter le poisson 4 minutes à feu doux. Versez le lait de coco, la pâte de curry et la marinade dans la poêle, et portez le mélange à ébullition. Ajoutez les oignons, le basilic, les feuilles de citronnier et les courgettes, et faites cuire ce curry 4 minutes. Rectifiez l'assaisonnement avec du sel et servez avec du riz basmati.

Astuce

Le basilic thaï, proche de notre basilic, a une saveur fraîche et poivrée et un léger goût d'anis. À défaut de basilic thaï, vous pouvez utiliser du basilic commun à petites feuilles.

Rascasse
marinée aux épices

Une prise de choix dans vos filets ! Toute la saveur de l'Inde dans votre assiette avec ce plat simple à préparer.

Ingrédients

1 oignon · 5 gousses d'ail
4 yaourts nature
3 cuill. à soupe de vinaigre
1/2 cuill. à café de gingembre frais râpé
Épices en poudre :
2 cuill. à soupe de paprika
1 cuill. à café de coriandre
1 cuill. à café de curcuma
1 cuill. à café de garam masala
1 cuill. à café de piment
Sel · Poivre du moulin
2 gouttes de colorant alimentaire jaune ou rouge
Huile pour le moule
4 filets de rascasse
2 cuill. à soupe de jus de citron

Préparation

POUR 4 PERSONNES

1 Pour la marinade, pelez l'oignon et râpez-le finement. Pelez l'ail et hachez-le finement. Mélangez le yaourt, le vinaigre, 2 cuillerées à soupe d'eau, l'oignon râpé, l'ail, le gingembre, le paprika, la coriandre, le curcuma, le garam masala, le piment, 1 cuillerée à café de sel, 1/2 cuillerée à café de poivre et le colorant alimentaire.

2 Huilez un grand plat à gratin. Arrosez les filets de rascasse avec le jus de citron. Salez. Coupez les filets en deux et disposez-les dans le plat.

3 Versez la marinade sur le poisson et laissez macérer à couvert environ 2 heures au réfrigérateur en tournant régulièrement les filets.

4 Préchauffez le four à 180 °C et faites cuire le poisson environ 30 minutes sur la grille du milieu. 5 minutes avant la fin de la cuisson, allumez le gril pour faire dorer les filets. Disposez-les dans des bols ou des assiettes creuses. Nappez avec la sauce et décorez avec des rondelles de piment et d'oignon. Servez avec du riz basmati.

Variante

Vous pouvez remplacer les filets de rascasse par un poisson de mer à chair blanche tel que le cabillaud ou le colin. Avec des médaillons de lotte, ce plat gagnera encore en raffinement.

Currys de viande

Poulet au curry
façon thaïe

Le jeu subtil des arômes de citronnelle, de gingembre et de feuilles de citronnier donnent à ce curry une touche de fraîcheur exotique.

Ingrédients

½ oignon
3 gousses d'ail
1 tige de citronnelle
6 feuilles de citronnier vert kaffir
2 cuill. à soupe d'huile
1 cuill. à café de concentré de tomates
50 cl de lait de coco
50 g de sucre roux
Jus de 1 citron vert
Sel
1 cuill. à soupe de curry en poudre
Poivre de Cayenne
2 cuill. à café. de gingembre frais râpé
1 à 2 cuill. à café de fécule
4 blancs de poulet

Préparation

POUR 4 PERSONNES

1 Épluchez l'oignon et l'ail et coupez-les en dés. Parez la citronnelle, jetez les feuilles extérieures et la moitié supérieure sèche des tiges, coupez la partie blanche en fines rondelles. Rincez et secouez les feuilles de citronnier pour les sécher.

2 Faites chauffer 1 cuillerée à soupe d'huile dans un faitout et faites-y brunir l'oignon, l'ail, la citronnelle et les feuilles de citronnier. Ajoutez le concentré de tomates et faites-le revenir rapidement en remuant. Versez le lait de coco et faites bouillir la sauce. Ajoutez le sucre et le jus de citron vert, puis assaisonnez la sauce avec du sel, du poivre de Cayenne et le curry en poudre. Ajoutez le gingembre et laissez mijoter la sauce quelques minutes à feu doux. Délayez la fécule avec un peu d'eau, puis versez-la dans la sauce et laissez épaissir.

3 Coupez les filets de poulet en morceaux de la grosseur d'une bouchée. Faites chauffer le reste d'huile dans une poêle et faites revenir les morceaux de poulet à petit feu en remuant pour qu'ils dorent sur toutes leurs faces. Versez le poulet dans la sauce et laissez mijoter 10 minutes. Décorez avec du basilic thaï et servez ce poulet au curry avec du riz basmati.

Astuce

La cuisine thaïe utilise beaucoup les feuilles de citronnier kaffir. Elles sont ajoutées entières dans la sauce, comme les feuilles de laurier, ou découpées en lamelles pour la décoration.

Poulet au lait de coco
aux amandes et au safran

Une envolée d'effluves raffinées de safran, de gingembre et de lait de coco pour donner des ailes à tous les gourmets.

Ingrédients

500 g de blanc de poulet
1/2 cuill. à café de stigmates de safran
2 yaourts nature
Épices en poudre :
1 cuill. à café de curcuma
1/2 cuill. à café de paprika
1/2 cuill. à café de piment
1/2 cuill. à café de cannelle
Sel · 2 gousses d'ail
20 g de gingembre frais
1 piment rouge
3 cuill. à soupe d'huile
20 cl de lait de coco
4 à 6 feuilles vertes de curry
50 g d'amandes en poudre
2 cuill. à soupe de copeaux de noix de coco

Préparation

POUR 4 PERSONNES

1. Coupez les filets de poulet en morceaux de la grosseur d'une bouchée. Délayez le safran dans 1 cuillerée à soupe d'eau chaude, puis mélangez l'eau safranée avec le yaourt. Ajoutez le curcuma, le piment et le paprika, et salez le yaourt. Versez le yaourt sur le poulet, mélangez et laissez mariner 30 minutes.
2. Épluchez l'ail et hachez-le fin. Épluchez et râpez le gingembre. Parez et rincez le piment, puis coupez-le en rondelles fines. Faites chauffer l'huile dans un faitout et faites-y revenir l'ail et le gingembre. Ajoutez les morceaux de poulet et faites-les dorer sur toutes leurs faces.
3. Versez le lait de coco dans le faitout, ajoutez le piment et les feuilles de curry, couvrez et laissez cuire 10 minutes à feu doux.
4. Ajoutez les amandes et la noix de coco. Assaisonnez le curry avec la cannelle, couvrez et laissez mariner 5 minutes, la sauce ne doit plus bouillir. Servez avec des pappadam.

Astuce

L'essentiel de l'arôme du piment est concentré dans les graines. Si vous n'aimez pas la cuisine trop relevée, il suffit d'épépiner les piments, ils seront beaucoup moins piquants.

Poulet
aux noix de cajou

Un classique de la cuisine indienne : le parfum envoûtant des épices fait déjà monter l'eau à la bouche.

Ingrédients

600 g de blanc de poulet ou de dinde
6 oignons
4 gousses d'ail
20 g de gingembre
6 cuill. à soupe de noix de cajou
3 cuill. à soupe de ghee
4 clous de girofle
4 bâtons de cannelle
6 capsules de cardamome verte
4 cuill. à café de curry en poudre
Sel
2 cuill. à soupe d'amandes effilées

Préparation

POUR 4 PERSONNES

1. Coupez les filets de poulet en morceaux de la grosseur d'une bouchée. Épluchez l'ail et les oignons. Émincez les oignons. Épluchez et râpez le gingembre. Versez 4 cuillerées à soupe de noix de cajou dans le bol du mixeur et mixez-les finement ou écrasez-les dans un mortier.
2. Faites fondre le ghee ou du beurre clarifié dans une poêle et laissez-le brunir 10 minutes en le remuant. Pressez l'ail au-dessus de la poêle, ajoutez le gingembre et faites revenir quelques instants. Ajoutez les clous de girofle, la cannelle et la cardamome et faites-les griller.
3. Ajoutez la viande et les oignons et faites-les revenir 2 minutes. Assaisonnez avec le curry en poudre et du sel.
4. Délayez la purée de noix de cajou dans 25 cl d'eau chaude, versez la préparation sur la viande et mélangez. Couvrez la poêle et laissez mijoter le curry 15 minutes à feu doux. Faites dorer à sec le reste de noix de cajou et les amandes effilées dans une poêle à revêtement anti-adhésif, versez-les dans le curry et mélangez. Décorez le curry avec des feuilles de coriandre et servez.

Astuce

Si vous utilisez des noix de cajou salées, ne salez le curry qu'à mi-cuisson après l'avoir goûté. Vous pouvez remplacer les noix de cajou par des amandes mondées.

Curry de canard
aux poivrons

Ingrédients

1/2 bouquet de coriandre
1 cuill. à soupe de sauce soja douce
1 1/2 cuill. à soupe de miel
5 gousses d'ail
Sel · Poivre du moulin
1/2 canard (de 1 kg environ entier)
2 poivrons rouges
4 feuilles de citronnier kaffir
3 cuill. à soupe d'huile
2 cuill. à soupe de pâte de curry rouge
40 cl de lait de coco · Sucre
10 feuilles de basilic thaï
2 cuill. à soupe de sauce de poisson

Préparation

POUR 4 PERSONNES

1. Rincez et secouez la coriandre pour la sécher, effeuillez les tiges, hachez les feuilles, réservez-en quelques-unes. Dans un bol, délayez le miel dans la sauce soja, épluchez l'ail, pressez-le au-dessus du bol. Ajoutez la coriandre, du sel, du poivre, et mélangez. Versez la marinade sur le demi-canard et laissez mariner 2 heures.

2. Préchauffez le four à 220 °C. Posez le canard sur la grille du four, placez un plat creux en dessous pour récupérer le jus de cuisson et faites cuire 10 minutes. Ramenez la température à 180 °C et poursuivez la cuisson 50 minutes en tournant plusieurs fois le canard.

3. Partagez les poivrons, épépinez-les, rincez-les et coupez-les en morceaux. Rincez et séchez les feuilles de citronnier. Faites chauffer l'huile dans la poêle avec la pâte de curry. Prélevez 5 cuillerées à soupe de crème de lait de coco, mélangez avec les poivrons, les feuilles de citronnier, le basilic, et faites bouillir 4 minutes dans un faitout. Ajoutez le canard découpé, la sauce de poisson, le sucre, le lait de coco et réchauffez le curry. Décorez avec la coriandre.

Curry de poulet
aux pois gourmands

Ingrédients

500 g de blanc de poulet
4 échalotes
2 gousses d'ail
250 g de pois gourmands
2 cuill. à soupe d'huile
20 cl de lait de coco
2 cuill. à soupe de pâte de curry rouge
2 cuill. à soupe de sauce de poisson
2 cuill. à soupe de sucre de palme
2 piments rouges
1 botte de ciboulette

Préparation

POUR 4 PERSONNES

1 Coupez les filets de poulet en morceaux de la grosseur d'une bouchée. Épluchez les échalotes et l'ail, et coupez-les en dés. Parez et lavez les pois gourmands, puis coupez-les en deux.

2 Faites chauffer l'huile dans une poêle et faites revenir l'ail et les échalotes en remuant fréquemment. Ajoutez les morceaux de poulet et faites-les dorer sur toutes leurs faces. Versez le lait de coco, le curry, la sauce de poisson et le sucre de palme, et mélangez. Faites cuire le curry 5 minutes à feu doux. Ajoutez les pois gourmands et laissez mijoter 5 minutes de plus ; la viande doit être tendre et les pois gourmands doivent rester fermes.

3 Partagez 1 piment en deux et épépinez-le. Rincez et hachez la chair. Parez le deuxième piment, rincez-le et coupez-le en fines rondelles. Rincez et secouez la ciboulette pour la sécher puis, avec les ciseaux, détaillez les tiges en rondelles. Saupoudrez le curry avec la chair des piments et la ciboulette ciselée, et servez.

Curry de poulet
aux cacahuètes et à la banane

Les couleurs claires combinées avec les saveurs douces donnent le ton : riz blanc et aubergines thaïes, bananes et cacahuètes.

Ingrédients

500 g de blanc de poulet
Sel · Poivre du moulin
2 ou 3 capsules de cardamome
1 cuill. à café de gingembre frais râpé
1/2 cuill. à café de garam masala
1 pincée de poivre de Cayenne
1 banane
1 cuill. à café de jus de citron
200 g de riz basmati
4 petites aubergines blanches
Matière grasse pour le moule
2 cuill. à soupe de graines de sésame blanc
2 cuill. à soupe de cacahuètes hachées
2 cuill. à soupe de ghee
20 cl de lait de coco
30 cl d'huile
8 à 12 pappadam

Préparation

POUR 4 PERSONNES

1 Coupez les filets de poulet en lamelles. Salez et poivrez. Écrasez la cardamome dans un mortier. Saupoudrez le poulet de cardamome, de gingembre, de garam masala et de poivre de Cayenne.

2 Épluchez la banane et partagez-la en deux. Écrasez une moitié de banane à la fourchette et coupez en rondelles la seconde moitié, arrosez-la de jus de citron. Rincez le riz à l'eau froide jusqu'à ce que l'eau soit claire. Faites-le bouillir dans 40 cl d'eau salée dans une casserole et laissez-le cuire 20 minutes à feu doux. Préchauffez le four à 200 °C.

3 Lavez les aubergines, posez-les dans un plat préalablement huilé et faites-les cuire au four 20 minutes ; la chair doit devenir souple. Faites dorer les graines de sésame et les cacahuètes à sec dans une poêle et réservez-les.

4 Faites chauffer le ghee dans une grande poêle et faites dorer les morceaux de poulet 3 à 4 minutes en remuant fréquemment. Ajoutez la purée de banane et laissez cuire quelques instants. Ajoutez le lait de coco et faites-le bouillir. Salez et poivrez.

5 Faites réchauffer les pappadam avec un peu d'huile dans une poêle, laissez-les dorer 5 à 7 secondes sur chaque face. Retirez-les de la poêle et posez-les sur du papier absorbant.

6 Disposez le poulet sur le riz dans des demi-noix de coco, ajoutez les aubergines, parsemez le curry de sésame et de cacahuètes, et décorez avec les rondelles de banane. Servez le curry avec les pappadam.

Poulet au xérès
aux poivrons et à l'ail

Plaisir culinaire simple et léger : les poivrons croquants ont belle allure en compagnie de dés de poulet dorés et moelleux à cœur.

Ingrédients

500 g de blanc de poulet
1 poivron rouge
1 poivron vert
1 oignon
3 gousses d'ail
3 cuill. à soupe d'huile d'arachide
15 cl de bouillon
2 cuill. à soupe de xérès sec
2 cuill. à soupe de sauce soja claire
1 1/2 cuill. à soupe de pâte de curry jaune

Préparation

POUR 4 PERSONNES

1. Coupez les filets de poulet en morceaux de la grosseur d'une bouchée. Partagez les poivrons et épépinez-les, lavez et découpez la chair en gros morceaux. Épluchez l'oignon et l'ail, et coupez-les en dés.
2. Faites chauffer 2 cuillerées à soupe d'huile dans une poêle et faites dorer les morceaux de poulet en les retournant fréquemment. Retirez le poulet et réservez-le.
3. Faites chauffer le reste d'huile et faites rapidement revenir l'oignon et l'ail. Ajoutez les poivrons et faites-les suer 2 minutes en les remuant. Arrosez-les avec le bouillon, couvrez et laissez mijoter 10 minutes à feu doux. Ajoutez le xérès, la sauce soja et le curry, remuez et laissez mijoter quelques minutes.
4. Versez le poulet dans la poêle et laissez mijoter 2 minutes supplémentaires. Décorez ce curry de poulet avec des feuilles de coriandre et servez-le accompagné de riz basmati.

Astuce

La sauce soja remplace le sel. Il en existe plusieurs sortes : la claire est la plus salée, la foncée est plus épicée, mais aussi plus sucrée et plus épaisse. Vous les trouverez dans les épiceries asiatiques.

Curry de poulet
au piment et aux feuilles de curry

Sobre et épicé : le curcuma et le piment donnent à ce classique de la cuisine indienne une touche de raffinement.

Ingrédients

500 g de blanc de poulet
2 oignons rouges
3 gousses d'ail
2 piments rouges
20 g de gingembre
2 cuill. à soupe de ghee
1 cuill. à café de curcuma en poudre
1 pincée de cardamome moulue
1 1/2 cuill. à café de coriandre en poudre
1 1/2 cuill. à café de cumin en poudre
40 cl de lait de coco
8 à 10 feuilles de curry
Sel

Préparation

POUR 4 PERSONNES

1. Coupez les blancs de poulet en dés de la grosseur d'une bouchée.
2. Épluchez et émincez les oignons. Épluchez l'ail et hachez-le finement. Parez les piments, lavez la chair et coupez-la en fines rondelles. Épluchez le gingembre et râpez-le finement.
3. Faites fondre le ghee dans une poêle et faites revenir les oignons, l'ail, les piments et le gingembre. Ajoutez le curcuma, la cardamome, la coriandre et le cumin, et faites-les griller 2 à 3 minutes en remuant fréquemment.
4. Ajoutez les dés de poulet et faites-les dorer sur toutes leurs faces. Mouillez avec le lait de coco, ajoutez les feuilles de curry et laissez mijoter la sauce 10 minutes à feu doux ; la viande doit devenir tendre. Salez.
5. Décorez le curry de poulet avec des oignons nouveaux émincés et servez-le avec du riz basmati.

Astuce

L'ail nouveau a une saveur plus douce que l'ail sec et légèrement sucrée. Les gousses se conservent plusieurs semaines dans le bac à légumes du réfrigérateur.

Poulet au curry vert
à la coriandre et au piment

Ingrédients

1 botte d'oignons nouveaux

3 piments verts

2 gousses d'ail

1 tige de citronnelle

1/2 bouquet de basilic thaï

1/2 bouquet de coriandre

2 cuill. à café de graines de coriandre

5 cuill. à soupe d'huile

1 cuill. à café de gingembre râpé

Zeste et le jus de 1 citron vert non traité

Sel · Poivre du moulin

500 g de blanc de poulet

25 cl de lait de coco

Préparation

POUR 4 PERSONNES

1 Parez les oignons, lavez-les et coupez-les en petits morceaux. Partagez les piments, épépinez-les, lavez-les et hachez-les. Épluchez l'ail et hachez-le finement. Parez la citronnelle, jetez les feuilles extérieures et la moitié supérieure sèche des tiges, hachez finement la partie blanche. Lavez et secouez le basilic et la coriandre pour les sécher, effeuillez les tiges.

2 Écrasez la coriandre dans un mortier. Incorporez progressivement les ingrédients préparés, ajoutez 3 cuillerées à soupe d'huile, le gingembre, le jus et le zeste de citron, et pilez le tout pour obtenir une pâte souple (vous pouvez également mixer les ingrédients). Salez et poivrez la pâte de curry.

3 Coupez les blancs de poulet en lamelles. Versez la moitié du curry en pâte sur le poulet, mélangez pour bien le répartir et laissez mariner 30 minutes. Faites chauffer le reste d'huile et faites revenir le poulet en remuant fréquemment. Ajoutez le reste de curry en pâte, le lait de coco et faites mijoter 10 minutes ; la viande doit rester souple. Servez le curry avec de la coriandre et quelques rondelles de piment.

Curry de poulet
avec riz basmati

Ingrédients

150 g de riz basmati
500 g de blanc de poulet
1 piment rouge · 1 courgette
3 cuill. à soupe de ghee
Épices en poudre :
1/2 cuill. à café de cumin
1 cuill. à café de curry
1/4 cuill. à café de coriandre
1/4 cuill. à café de poivre de Cayenne
Sel · Poivre du moulin
2 cuill. à café de garam masala
20 cl de lait de coco
20 cl de bouillon de poule
2 cuill. à soupe de jus de citron

Préparation

POUR 4 PERSONNES

1 Rincez le riz jusqu'à ce que l'eau soit claire. Faites bouillir 30 cl d'eau salée dans une casserole, versez le riz en pluie et faites-le cuire 20 minutes à feu doux.

2 Coupez les blancs de poulet en morceaux de la taille d'une bouchée. Parez et rincez la courgette, puis coupez-la en petits morceaux. Faites fondre le ghee dans un faitout et faites griller le cumin, le curry, le poivre de Cayenne, le poivre, le garam masala et la coriandre.

3 Ajoutez les morceaux de poulet et de courgette, et faites-les dorer sur toutes leurs faces à feu moyen. Ajoutez le lait de coco, le jus de citron et le bouillon, assaisonnez avec du sel et faites mijoter le poulet en sauce 10 minutes à feu doux. Rectifiez l'assaisonnement si nécessaire.

4 Parez, lavez et coupez le piment en petites rondelles. Versez le riz dans des coupelles, répartissez le curry du poulet et décorez avec des rondelles de piment, des feuilles de coriandre et des lamelles découpées dans la tige de petits oignons nouveaux.

Poulet au curry rouge
et à la tomate

Préparation rapide, effet maximum : la sauce tomate version asiatique relevée d'une pointe de curry et de gingembre est surprenante.

Ingrédients

500 g de blanc de poulet
2 gousses d'ail
10 g de gingembre
2 cuill. à soupe d'huile de sésame
30 cl de lait de coco
1 cuill. à soupe de concentré de tomates
2 cuill. à café de pâte de curry rouge
10 cl de bouillon de légumes
500 g de tomates
3 brins de basilic thaï
3 brins de coriandre
Sel · Poivre du moulin
Jus de 1/2 citron

Préparation

POUR 4 PERSONNES

1 Coupez les blancs de poulet en lamelles de 2 cm. Épluchez et hachez finement l'ail et le gingembre.

2 Faites chauffer l'huile dans une poêle et faites-y revenir l'ail et le gingembre 1 minute en les remuant fréquemment. Ajoutez les lamelles de poulet et faites-les dorer sur toutes leurs faces. Ajoutez le lait de coco, le concentré de tomates, la pâte de curry et le bouillon, et faites mijoter la sauce 10 minutes ; les morceaux de poulet doivent rester tendres.

3 Entaillez les tomates, ébouillantez-les pour pouvoir les peler, partagez-les en deux et coupez-les en rondelles. Ajoutez les tomates dans le curry et faites-les juste réchauffer.

4 Lavez et secouez le basilic et la coriandre pour les sécher. Effeuillez les tiges et ajoutez les feuilles dans le curry. Assaisonnez avec du sel, du poivre et le jus de citron et servez ce curry avec du riz basmati.

Astuce

La coriandre fraîche, appelée aussi persil chinois ou persil arabe, a une saveur douce et légèrement poivrée. Souvent utilisée dans les currys, elle se conserve parfaitement à condition de ne pas raccourcir les tiges.

Poulet masala
au fenugrec

Un vrai délice : après avoir mariné une nuit dans un mélange d'herbes et d'épices, le poulet reste merveilleusement tendre.

Ingrédients

15 g de gingembre frais
2 gousses d'ail
1/2 bouquet de menthe
1/2 bouquet de coriandre
4 cuill. à café de graines de fenugrec
4 cuill. à soupe de vinaigre
2 cuill. à soupe d'huile · Sel
Épices en poudre :
2 cuill. à café de curcuma
1 cuill. à café de girofle
1 cuill. à café de cardamome
Matière grasse pour le plat
4 blancs de poulet
6 brins de curry en branches
4 cuill. à soupe de noix de cajou

Préparation

POUR 4 PERSONNES

1 Épluchez et émincez l'ail et le gingembre. Hachez grossièrement les feuilles de menthe et de coriandre. Écrasez au mortier le gingembre, l'ail, la menthe, la coriandre et le fenugrec avec le vinaigre, l'huile, 1/2 cuillerée à café de sel, le curcuma, la girofle en poudre et la cardamome ou mixez-les finement.

2 Beurrez un plat à gratin. Passez les blancs de poulet dans le mélange d'épices, coupez-les en morceaux de la grosseur d'une bouchée et disposez-les dans le plat. Mélangez au poulet les feuilles de curry lavées et séchées. Couvrez le plat et laissez mariner la viande une nuit.

3 Préchauffez le four à 180 °C et faites cuire la viande environ 30 minutes à mi-hauteur. En fin de cuisson, allumez le gril pour faire dorer la viande. Faites griller les noix de cajou à sec dans une poêle à revêtement anti-adhésif. Répartissez le poulet masala dans des bols et parsemez de noix de cajou. Servez avec du riz basmati ou des chapati (recette p. 8).

Astuce

Les petites feuilles vertes de curry se vendent fraîches ou séchées dans les magasins de produits asiatiques. Achetez-les de préférence fraîches, elles auront bien plus de saveur.

Curry de porc
aux pommes de terre

Ingrédients

500 g de filet de porc
5 cuill. à soupe de sauce de poisson
100 g de cacahuètes
2 cuill. à soupe d'huile
40 cl de lait de coco
50 g de moelle de tamarin
2 oignons
500 g de pommes de terre à chair ferme
2 cuill. à soupe de pâte de curry jaune
Sel · Sucre

Préparation

POUR 4 PERSONNES

1 Coupez la viande en dés. Versez la sauce de poisson dans un saladier et faites mariner la viande 10 minutes.

2 Passez la moitié des cacahuètes au moulin, hachez grossièrement le reste. Faites chauffer l'huile dans une poêle et faites revenir les morceaux de viande en plusieurs fois. Prélevez la crème du lait de coco et versez-la dans un faitout, arrosez les morceaux de viande avec le lait. Ajoutez les cacahuètes, couvrez la poêle et faites mijoter la viande en sauce 20 minutes.

3 Faites ramollir la moelle de tamarin dans de l'eau chaude. Épluchez les oignons et coupez-les en dés. Épluchez les pommes de terre et coupez-les en dés de 2 cm de côté.

4 Faites fondre la crème de noix de coco prélevée, ajoutez le curry en pâte et remuez pour le délayer. Ajoutez les oignons et faites-les fondre. Ajoutez les morceaux de viande en sauce et les pommes de terre dans le faitout. Pressez la moelle de tamarin dans une passoire pour en extraire le jus, versez-le dans le faitout et faites mijoter le curry 15 minutes à feu doux. Salez et poivrez.

Curry de bœuf
aux pousses de bambou

Ingrédients

500 g de filet de bœuf
5 cuill. à soupe de sauce de poisson
200 g de pousses de bambou (en conserve)
1 poivron rouge
1 poivron vert
40 cl de lait de coco
1 cuill. à soupe de pâte de curry verte
Sel · Sucre

Préparation

POUR 4 PERSONNES

1. Découpez la viande en lamelles. Versez la sauce de poisson dans un saladier et faites mariner la viande 10 minutes.
2. Versez les pousses de bambou dans une passoire, rincez-les sous un jet d'eau fraîche et coupez-les en lamelles. Partagez les poivrons, épépinez-les, rincez la chair et coupez-la en fines lamelles.
3. Prélevez la crème du lait de coco et faites-la bouillir dans un faitout. Ajoutez le curry en pâte et remuez pour bien le délayer, ajoutez la viande et faites-la mijoter quelques instants. Versez le lait de coco sur la viande et faites cuire 10 minutes ; la viande doit rester tendre.
4. Ajoutez les poivrons et faites-les cuire 3 minutes. Ajoutez les pousses de bambou et poursuivez la cuisson 3 minutes. Assaisonnez le curry avec du sel et du sucre, décorez de feuilles de basilic thaï et servez.

Curry de veau
aux aubergines thaïes

Simple et rapide à préparer : les petites aubergines apportent une touche de délicatesse à ce savoureux plat de viande.

Ingrédients

450 g de filet de veau
4 feuilles de citronnier kaffir
150 g d'aubergines thaïes
1 cuill. à soupe d'huile
3 cuill. à soupe de pâte de curry verte
40 cl de lait de coco
1 à 2 cuill. à soupe de sauce de poisson
1 cuill. à café de sucre de palme
Sel

Préparation

POUR 4 PERSONNES

1. Coupez la viande en lamelles. Lavez et secouez les feuilles de citronnier pour les sécher. Parez et rincez les aubergines, partagez-les en deux dans la longueur.
2. Faites chauffer l'huile dans un faitout et faites griller la pâte de curry 2 minutes pour exhaler les arômes. Versez la moitié du lait de coco et faites-le bouillir 5 minutes en remuant de temps en temps ; la sauce doit devenir huileuse et brillante.
3. Ajoutez les morceaux de viande, les feuilles de citronnier, la sauce de poisson, le sucre de palme et les aubergines, et faites mijoter 3 minutes. Versez le reste de lait de coco et poursuivez la cuisson ; la chair des aubergines doit devenir tendre.
4. Rectifiez l'assaisonnement avec du sel et servez ce curry de veau avec du riz basmati.

Astuce

La sauce de poisson est à base de petits poissons (alevins) et d'anchois fermentés. Goûtez-la avant toute utilisation – certaines sont plus salées que d'autres – et assaisonnez le curry en conséquence.

Curry de veau
au basilic thaï

Un curry bien équilibré : le piment et la pâte de curry pour le piquant, la viande et les pousses de bambou pour la douceur.

Ingrédients

500 g de filet de veau
1 piment vert
100 g de pousses de bambou (en conserve)
1 bouquet de basilic thaï
40 cl de lait de coco
2 cuill. à café de pâte de curry jaune
2 cuill. à café de curcuma en poudre
4 cuill. à soupe de sucre de palme
4 cuill. à soupe de sauce de poisson
Sel · Poivre du moulin

Préparation

POUR 4 PERSONNES

1. Coupez la viande en morceaux très fins. Partagez le piment et épépinez-le, rincez et hachez finement la chair.
2. Versez les pousses de bambou dans une passoire, rincez-les à l'eau froide, laissez-les égoutter et coupez-les en petits bâtonnets. Rincez le basilic, secouez-le pour le sécher et effeuillez les tiges.
3. Faites chauffer le lait de coco dans une poêle, délayez la pâte de curry et le curcuma. Ajoutez la viande, le piment, les pousses de bambou, deux tiers du basilic et le sucre de palme. Faites mijoter le curry 10 minutes à feu moyen ; la viande doit rester moelleuse.
4. Assaisonnez le curry de veau avec la sauce de poisson, du sel et du poivre. Ajoutez le reste de feuilles de basilic et servez le curry avec du riz basmati.

Astuce

Le sucre de palme se présente sous forme de pain de sucre pressé, de pâte ou de grains cristallisés vendus en bocal. À défaut de sucre de palme, vous pouvez utiliser du sucre roux ou du sirop d'érable.

Curry d'agneau
aux raisins secs

Accord parfait des contrastes : le jeu subtil du sucré-épicé vous donnera de véritables envies d'évasion.

Ingrédients

1/2 bouquet de coriandre
250 g de yaourt à la crème
1 cuill. à café de sel
2 cuill. à café de cumin en poudre
1 cuill. à café de coriandre en poudre
Poivre de Cayenne
Poivre du moulin
800 g d'agneau
6 capsules de cardamome verte
5 cuill. à soupe d'huile
1 bâton de cannelle
1 feuille de laurier
1 oignon
4 cuill. à soupe de raisins secs bruns (sultans)
2 cuill. à soupe de crème fraîche
Cardamome en poudre

Préparation

POUR 4 À 6 PERSONNES

1 Lavez et secouez la coriandre pour la sécher, effeuillez les tiges et hachez les feuilles. Mélangez le yaourt avec le sel, le cumin et la coriandre en poudre, 1 bonne pincée de poivre de Cayenne, le poivre moulu et le hachis de coriandre.

2 Coupez la viande en morceaux de la grosseur d'une bouchée. Pilez les graines de cardamome dans un mortier. Faites chauffer l'huile dans une grande poêle et faites-y griller la cardamome, la cannelle et la feuille de laurier. Faites dorer les morceaux de viande en plusieurs fois. Retirez la viande de la poêle et réservez-les.

3 Épluchez et coupez l'oignon en dés, puis faites-le fondre dans la poêle. Remettez les morceaux de viande dans la poêle, ajoutez le yaourt et les raisins secs, et mélangez. Couvrez et faites cuire 1 heure à feu doux ; la viande doit rester tendre.

4 Rectifiez l'assaisonnement de la sauce avec du sel, et faites-la réduire à feu vif. La sauce doit adhérer aux morceaux de viande. Ajoutez la crème fraîche et mélangez. Assaisonnez le curry avec une bonne pincée de cardamome et décorez avec des feuilles de coriandre.

Astuce

Les sultans, raisins secs bruns, sont sans pépins. Ils poussent en Turquie et sont surtout utilisés dans les préparations salées et épicées. Pour les desserts, utilisez de préférence des raisins de Corinthe.

Curry d'agneau aux épinards

Onctueux à souhait et subtilement épicé : ce savoureux curry fera vite partie de vos plats de référence.

Ingrédients

600 g d'épinards frais
400 g d'épaule d'agneau
4 oignons · 2 gousses d'ail
15 g de gingembre
2 cuill. à soupe d'huile
1/2 cuill. à café de piment en poudre
1 cuill. à café de graines de cumin, 1 de cardamome et 1 de coriandre
1 cuill. à café de curcuma en poudre
1/2 cuill. à café de graines de fenugrec
1/4 cuill. à café de poivre de Cayenne
200 g de yaourt nature
Sel

Préparation

POUR 4 PERSONNES

1. Triez les épinards, jetez les feuilles flétries et les tiges, puis passez-les sous l'eau. Dans une casserole, recouvrez les épinards d'eau bouillante pour les blanchir. Rincez-les à l'eau froide dans une passoire et laissez-les égoutter.
2. Coupez la viande d'agneau en dés de la grosseur d'une bouchée. Épluchez et émincez les oignons et l'ail. Épluchez et râpez le gingembre.
3. Faites chauffer l'huile dans une poêle et faites revenir les oignons. Ajoutez la viande, l'ail et le gingembre, et faites revenir le tout jusqu'à ce que la viande soit bien colorée.
4. Incorporez les épices et poursuivez la cuisson quelques instants. Versez 30 cl d'eau, couvrez et laissez mijoter 20 minutes à feu doux en remuant régulièrement. Ajoutez les épinards et laissez cuire encore 10 minutes, puis faites épaissir la sauce 5 minutes à feu vif.
5. Battez le yaourt afin qu'il soit bien crémeux et incorporez-en la plus grande partie au curry. Salez et réchauffez à feu doux quelques instants. Décorez le curry avec le yaourt restant et servez-le avec du riz basmati.

Astuce

Vous pouvez bien sûr remplacer les épinards frais par des épinards surgelés : versez les épinards surgelés dans une casserole et faites-les réchauffer à feu doux puis égouttez-les dans une passoire.

Agneau korma
aux noix de cajou

Ingrédients

800 g d'agneau · 2 piments secs
4 oignons · 6 gousses d'ail
2 cuill. à café de cumin
1 cuill. à café de grains de poivre noir et 1 de cardamome
1 bâton de cannelle
1 cuill. à café de graines de moutarde
1 cuill. à café de fenugrec
4 cuill. à soupe de vinaigre
2 cuill. à café de sucre de palme
Sel · 10 g de gingembre frais râpé
4 cuill. à soupe d'huile
1 cuill. à café de coriandre
1 cuill. à café de curcuma
Noix de cajou grillées

Préparation

POUR 4 À 6 PERSONNES

1 Coupez la viande en morceaux de la grosseur d'une bouchée. Épluchez et coupez les oignons en dés. Épluchez l'ail. Faites griller les épices, puis écrasez-les dans un mortier. Mélangez les épices écrasées avec le vinaigre, le sucre de palme et le sel. Mixez le gingembre et l'ail avec un peu d'eau.

2 Faites chauffer 2 cuillerées à soupe d'huile dans un faitout et faites dorer les oignons. Versez-les dans le bol du mixeur, ajoutez 4 cuillerées à soupe d'eau, les épices et mixez le tout.

3 Faites chauffer le reste d'huile et faites revenir les morceaux de viande les uns après les autres jusqu'à ce que la viande soit bien colorée. Réservez la viande. Faites revenir le gingembre et l'ail. Ajoutez la coriandre et le curcuma en poudre, et faites-les griller en remuant constamment. Ajoutez la viande et le mélange d'épices et d'oignon mixés, mouillez avec 30 cl d'eau, couvrez et faites mijoter 45 minutes à feu doux. Salez et poivrez, décorez le korma avec des noix de cajou et servez avec du riz basmati.

Curry d'agneau
à la cardamome

Ingrédients

6 gousses d'ail
1 cuill. à café de gingembre râpé
3 oignons · 800 g d'agneau
8 capsules de cardamome verte
6 cuill. à soupe d'huile d'arachide
1 bâton de cannelle (3 cm)
2 feuilles de laurier
2 cuill. à café de cumin
2 cuill. à café de coriandre
1/2 cuill. à café de poivre de Cayenne
1 cuill. à soupe de paprika en poudre
2 cuill. à soupe de concentré de tomates
Sel

Préparation

POUR 4 À 6 PERSONNES

1 Épluchez et hachez l'ail finement, puis mélangez-le avec le gingembre râpé. Épluchez et coupez les oignons en dés. Coupez la viande en morceaux de la grosseur d'une bouchée. Écrasez la cardamome dans un mortier.

2 Faites chauffer l'huile dans un faitout et faites-y griller la cardamome, le bâtonnet de cannelle et les feuilles de laurier. Faites rissoler les morceaux de viande les uns après les autres, faites-les bien dorer, puis réservez-les au chaud.

3 Faites revenir les oignons dans le jus de cuisson de la viande et ajoutez le mélange d'ail et de gingembre. Ajoutez le cumin, la coriandre, le poivre de Cayenne et le paprika, mélangez, puis incorporez le concentré de tomates et faites revenir les épices.

4 Remettez les morceaux de viande dans le faitout et salez. Ajoutez 30 cl d'eau et laissez mijoter 1 heure à feu doux ; la viande doit rester moelleuse. Servez ce curry d'agneau avec du riz basmati.

Accompagnements, sauces et chutneys

Salade de chou-fleur aux pois chiches

Une vinaigrette fruitée, pois chiches et coriandre pour l'exotisme : une vraie cure de jouvence pour notre bon vieux chou-fleur.

Ingrédients

1 chou-fleur (env. 900 g)
1 citron non traité
Sel
4 oignons nouveaux
2 gousses d'ail
8 cuill. à café de jus de citron vert
2 cuill. à café de zeste râpé de citron vert non traité
2 cuill. à café de gingembre frais râpé
6 cuill. à soupe d'huile d'olive
Poivre de Cayenne
300 g de pois chiches
1 bouquet de coriandre

Préparation

POUR 4 PERSONNES

1 Parez et lavez le chou-fleur, séparez les fleurettes. Rincez le citron à l'eau chaude et coupez-le en morceaux. Faites bouillir une grande quantité d'eau salée, ajoutez le citron et faites cuire le chou-fleur 8 minutes. Rincez-le à l'eau froide dans une passoire et laissez-le égoutter.

2 Nettoyez et rincez les oignons puis coupez-les en fines rondelles. Épluchez l'ail et hachez-le finement. Préparez une vinaigrette avec le jus de citron vert, le zeste râpé, l'ail, le gingembre et l'huile. Salez et poivrez, puis incorporez les oignons.

3 Égouttez les pois chiches dans une passoire. Rincez et secouez la coriandre pour la sécher, effeuillez les tiges et hachez grossièrement les feuilles.

4 Mélangez les pois chiches, le chou-fleur et la moitié de la coriandre avec la vinaigrette et laissez macérer la salade 15 minutes. Décorez la salade de chou-fleur avec le reste de coriandre et une pincée de garam masala.

Astuce

Vous pouvez remplacer le chou-fleur par du brocoli à la saveur plus légère et plus fruitée. Pour corser la vinaigrette, remplacez le poivre de Cayenne par un piment rouge découpé en rondelles.

Raita à la tomate
au piment et à la moutarde

Fraîcheur exotique assurée : cette salade indienne et sa vinaigrette au yaourt relevée avec du piment frais peut être servie en entrée.

Ingrédients

1 gousse d'ail
1 piment vert
2 cuill. à soupe d'huile de sésame
1/2 cuill. à café de cumin en poudre
1/2 cuill. à café de graines de moutarde noires
300 g de yaourt nature
4 grosses tomates
Sel

Préparation

POUR 4 PERSONNES

1. Épluchez et hachez finement l'ail. Partagez le piment, retirez les graines et coupez-le en rondelles fines.
2. Faites chauffer l'huile de sésame dans une poêle et faites légèrement griller le cumin en poudre, les graines de moutarde et le piment. Versez le yaourt dans un bol et mélangez-le avec les épices, l'ail et un peu de sel. Couvrez et laissez reposer le yaourt une heure au frais.
3. Lavez et partagez les tomates, retirez les graines et coupez la chair en dés. Ajoutez le yaourt et mélangez. Décorez la salade de tomates avec des rondelles d'oignons nouveaux et servez-la avec des chapati (recette p. 8).

Astuce

Les graines de moutarde ont une petite saveur piquante. Elles servent à épicer les plats et favorisent la circulation sanguine et la digestion. Ne les faites pas griller trop longtemps, elles deviennent amères.

Salade de tomates
aux oignons rouges

Ingrédients

2 oignons rouges

600 g de tomates bien mûres

1/2 bouquet de coriandre

4 cuill. à soupe d'huile

2 cuill. à soupe de jus
de citron vert

Sel · Poivre du moulin

Préparation

POUR 4 PERSONNES

1 Épluchez les oignons et découpez-les en fines rondelles ou émincez-les. Lavez les tomates et coupez-les, au choix, en tranches fines ou en rondelles. Jetez la partie dure retenant le pédoncule. Lavez et secouez la coriandre pour la sécher, effeuillez les tiges et hachez grossièrement les feuilles.

2 Préparez la vinaigrette en mélangeant l'huile, le jus de citron, le sel et le poivre. Versez les tomates, les oignons et la coriandre dans un saladier, ajoutez la vinaigrette et mélangez. Vous pouvez ajouter quelques dés de concombre et remplacer le hachis de coriandre par du piment en poudre et des graines de cumin grillées.

Raita au concombre
sauce gingembre et menthe

Ingrédients

1 concombre

3 oignons nouveaux

15 g de gingembre frais

3 brins de menthe

375 g de yaourt nature

3 cuill. à soupe de jus de citron vert

Sel · Poivre du moulin

Préparation

POUR 4 PERSONNES

1 Lavez soigneusement le concombre, coupez-le en deux dans le sens de la longueur et retirez les pépins avec une petite cuillère. Râpez finement les deux moitiés de concombre avec une râpe à légumes.

2 Pelez les oignons, puis coupez-les en fines rondelles. Épluchez le gingembre et râpez-le finement. Lavez et secouez la menthe pour la sécher, effeuillez les tiges et hachez menu les feuilles.

3 Mélangez le yaourt avec le jus de citron, le concombre râpé, les oignons nouveaux, le gingembre et la menthe. Salez et poivrez généreusement. Laissez macérer le raita au moins 1 heure au réfrigérateur.

4 Répartissez le raita dans des coupelles, décorez-le de rondelles de concombre et servez-le accompagné de pappadam ou de chapati (recette p. 8).

Riz épicé
aux raisins et aux amandes

Adieu les seconds rôles : le riz basmati tient la vedette dans ce mélange original de saveurs douces et fruitées.

Ingrédients

40 g de raisins secs
240 g de riz basmati
Sel · Poivre du moulin
2 capsules de cardamome verte
2 clous de girofle
2 pincées de safran en poudre
2 pincées de cannelle en poudre
2 citrons verts (dont 1 non traité)
40 g d'amandes effilées

Préparation

POUR 4 PERSONNES

1. Faites tremper les raisins secs dans un peu d'eau tiède. Rincez le riz dans une passoire jusqu'à ce que l'eau soit claire et laissez-le égoutter.
2. Versez 50 cl d'eau dans une casserole, ajoutez le sel, le poivre, la cardamome, les clous de girofle, le safran et la cannelle et portez le tout à ébullition. Ajoutez le riz et laissez-le mijoter à couvert 10 minutes à feu doux. Retirez la casserole du feu et laissez gonfler le riz 10 minutes.
3. Rincez le citron vert non traité à l'eau chaude, séchez-le et détaillez-le en fines rondelles. Pressez le second citron vert. Faites dorer les amandes à sec dans une poêle à revêtement anti-adhésif. Égouttez les raisins secs et ajoutez-les au riz avec les amandes et le jus de citron. Décorez le riz de quelques rondelles de citron et, éventuellement, de bâtons de cannelle.

Astuce

Les bâtons de cannelle sont obtenus à partir de l'écorce très aromatique du cannelier qui s'enroule sur elle-même au séchage. La cannelle en poudre est obtenue à partir de bâtons brisés et pilés.

Beignets de chou-fleur
et sauce au piment

Protégée par son manteau de pâte dorée et délicatement parfumée au vin blanc, la fleurette de chou-fleur attend d'être dévorée.

Ingrédients

1 chou-fleur de 800 g
Sel · 1 gros oignon
3 gousses d'ail
5 piments doux à l'huile
1 cuill. à soupe de jus de citron vert
2 cuill. à soupe de sucre
2 cuill. à soupe de ketchup
2 œufs · 150 g de farine
15 cl de vin blanc
2 cuill. à soupe d'huile de sésame
2 cuill. à soupe de persil haché
50 cl d'huile de friture
3 cuill. à soupe de fécule

Préparation

POUR 4 PERSONNES

1 Parez et lavez le chou-fleur, séparez les fleurettes. Faites bouillir une grande quantité d'eau salée, ajoutez le chou-fleur et faites-le cuire 8 minutes. Rincez-le à l'eau froide dans une passoire et laissez-le égoutter.

2 Épluchez et hachez l'ail et l'oignon. Égouttez les piments et hachez-les grossièrement. Rassemblez l'oignon, l'ail, le hachis de piment, le jus de citron, 1 cuillerée à soupe de sucre et le ketchup dans le bol du mixeur, et mixez finement ces ingrédients. Rectifiez l'assaisonnement avec du sel.

3 Cassez les œufs et séparez les blancs des jaunes. Mélangez les jaunes avec la farine, le vin, l'huile de sésame, le persil, 1 cuillerée à soupe de sel et le sucre. Montez les blancs en neige et incorporez-les dans la pâte en soulevant le mélange.

4 Faites chauffer l'huile à 180 °C dans une friteuse. Roulez les fleurettes de chou-fleur dans la fécule puis dans la pâte à beignets et faites-les dorer l'une après l'autre. Égouttez les beignets sur du papier absorbant et servez-les avec la sauce au piment.

Astuce

Les pakoras, beignets de légumes frits, sont très appréciés en Inde et au Pakistan. La pâte à frire est préparée avec de la farine de pois chiches, légumineuse au petit goût d'arachide.

Pommes de terre
au sésame et aux piments

Ingrédients

450 g de pommes de terre
à chair ferme
3 cuill. à soupe d'huile
1 cuill. à café de cumin
en poudre
Sel · Poivre du moulin
2 piments séchés
2 cuill. à café de graines de
sésame blanc et 2 de sésame noir

Préparation

POUR 4 PERSONNES

1 Lavez les pommes de terre et faites-les bouillir dans un peu d'eau ; elles doivent être juste cuites. Égouttez-les et rincez-les à l'eau froide. Pelez-les et coupez-les en dés.

2 Faites chauffer l'huile dans une poêle et faites-y revenir les pommes de terre avec le cumin, salez et poivrez. Ajoutez les piments en les émiettant. Faites dorer les pommes de terre 10 minutes à feu moyen, en les remuant de temps en temps.

3 Ajoutez les graines de sésame, mélangez et faites-les griller 1 minute avec les pommes de terre. Ajoutez du sel, si nécessaire, et servez les pommes de terre décorées de petits piments rouges.

Aubergines
à la sauce aux cacahuètes

Ingrédients

600 g d'aubergines thaïes
(ou 1 grosse aubergine)
5 cuill. à soupe d'huile
1 cuill. à soupe de pulpe de tamarin
175 g de cacahuètes
1 cuill. à soupe de graines de sésame blanc
2 cuill. à soupe de copeaux de noix de coco
4 petites gousses de poivre vert
1 cuill. à café de curcuma en poudre
4 feuilles de laurier · Sel

Préparation

POUR 4 PERSONNES

1 Parez et lavez les aubergines, coupez la grosse aubergine en morceaux de la grosseur d'une bouchée. Faites chauffer 4 cuillerées à soupe d'huile dans une poêle et saisissez les aubergines à feu vif, puis réduisez le feu et faites les cuire à feu doux.

2 Faites ramollir la pulpe de tamarin dans de l'eau chaude. Hachez les cacahuètes et faites-les griller à sec avec le sésame dans une autre poêle. Pressez la pulpe de tamarin dans une passoire pour en extraire le jus, versez-le dans la poêle avec les copeaux de noix de coco, remuez et ajoutez de l'eau. Laissez évaporer la sauce. Lavez les gousses de poivre et ajoutez-les dans la sauce avec le curcuma, les feuilles de laurier et le reste d'huile, et faites mijoter 10 minutes.

3 Salez la sauce aux cacahuètes et mélangez-la avec les aubergines.

Salade d'aubergines et pommes de terre

Ces savoureux mélanges de petits légumes épicés sont copieux et constituent un accompagnement ou une entrée chaude.

Ingrédients

Pour la salade d'aubergines :

1 aubergine · 200 g de tomates
1 piment rouge et 1 vert
2 gousses d'ail
2 cuill. à soupe d'huile
1 cuill. à café de curry en poudre
2 feuilles de curry
Sel · Poivre du moulin

Pour les pommes de terre :

350 g de pommes de terre à chair ferme
75 g de feuilles d'épinards
2 piments verts
2 cuill. à soupe d'huile
1/2 cuill. à café de graines de moutarde noires
1/2 cuill. à café de curcuma en poudre
1/2 cuill. à café de curry en poudre
Sel · Poivre du moulin

Préparation

POUR 2 PERSONNES

1 Parez et lavez l'aubergine, puis coupez-la en petits morceaux. Lavez les tomates, partagez-les en deux et retirez les graines, coupez la chair en dés. Parez les piments, lavez-les et coupez-les en rondelles (si vous enlevez les graines, les piments seront moins forts). Épluchez et hachez l'ail.

2 Faites chauffer l'huile dans une poêle et faites-y dorer l'ail, ajoutez le curry en poudre et mélangez. Ajoutez l'aubergine et les piments, et faites-les sauter 3 minutes. Ajoutez les tomates et les feuilles de curry, et faites mijoter les légumes 30 minutes à feu doux.

3 Salez et poivrez les légumes et décorez-les avec de la coriandre hachée. Servez-les chauds ou froids.

4 Épluchez les pommes de terre et coupez-les en rondelles ou en dés. Triez les épinards, jetez les tiges, rincez les feuilles et égouttez-les. Partagez les piments, retirez les graines, lavez et coupez la chair en rondelles.

5 Faites chauffer l'huile dans une poêle et faites-y revenir les piments, les graines de moutarde, le curcuma et le curry. Ajoutez les pommes de terre et 15 cl d'eau et faites-les cuire sans couvrir la poêle. En fin de cuisson, ajoutez les épinards et faites-les cuire 3 minutes. Salez et poivrez les légumes, décorez avec des piments entiers et servez chaud.

Salade de carottes
à l'avoine

Ingrédients

Sel · 100 g de grains d'avoine (biologique)
3 cuill. à soupe de pois chiches
1/2 cuill. à café de soja en poudre
1 cuill. à café de curry en poudre
3 cuill. à soupe de semoule
4 cuill. à soupe de ghee
5 grosses carottes
1/2 bouquet de coriandre
2 cuill. à soupe d'huile
Poivre du moulin

Préparation

POUR 2 PERSONNES

1 Faites bouillir 50 cl d'eau salée, versez les grains d'avoine et faites-les cuire à feu doux ; les grains doivent être tendres mais cuits à cœur. Ajoutez les pois chiches, la poudre de soja et le curry, et mélangez. Formez des boulettes entre vos mains mouillées et roulez-les dans la semoule.

2 Faites fondre le ghee dans une poêle et faites-y dorer les boulettes. Retirez-les de la poêle et égouttez-les sur du papier absorbant.

3 Épluchez les carottes et coupez-les en bâtonnets ou râpez-les. Rincez la coriandre et secouez-la pour la sécher, effeuillez les brins et hachez finement les feuilles. Mélangez la coriandre avec les carottes, l'huile, du sel et du poivre. Servez la salade de carottes avec les boulettes d'avoine.

Curry de pois chiches
aux tomates

Ingrédients

250 g de pois chiches secs
Sel · 1 oignon
2 gousses d'ail
2 grosses tomates
2 cuill. à soupe d'huile
1 cuill. à café de cumin en poudre
1 cuill. à café de curry en poudre
1/2 cuill. à café de poivre de Cayenne
1/2 bouquet de coriandre

Préparation

POUR 4 PERSONNES

1 Faites tremper les pois chiches une nuit dans l'eau froide. Le lendemain, faites-les cuire 1 heure à l'eau salée. Égouttez-les dans une passoire.

2 Épluchez l'ail et l'oignon, et coupez-les en dés. Entaillez les tomates et plongez-les dans l'eau bouillante pour les peler. Partagez-les en deux, retirez les graines et coupez la chair en gros morceaux.

3 Faites chauffer l'huile dans une poêle et faites-y revenir l'ail et l'oignon. Ajoutez les épices et faites-les griller. Versez les tomates et les pois chiches dans la poêle et faites-les cuire 10 à 15 minutes en les remuant de temps en temps.

4 Lavez et secouez la coriandre pour la sécher, effeuillez les tiges et hachez grossièrement les feuilles. Parsemez de coriandre la salade de pois chiches et servez.

Chutney aux figues
et à l'échalote

Des figues gorgées de sucre finement épicées, servies avec des galettes croquantes, complètent idéalement currys et riz.

Ingrédients

8 figues · 2 échalotes
2 piments verts
2 cuill. à soupe d'huile
1 feuille de laurier
1/2 cuill. à café de clous de girofle en poudre
3 cuill. à soupe de vinaigre de framboise
4 cuill. à soupe de vin blanc sec
1 cuill. à café de moutarde
1 cuill. à café de graines de moutarde jaunes
3 cuill. à soupe de sucre
Sel · Poivre du moulin
Huile de friture
8 pappadam

Préparation

POUR 8 PERSONNES

1 Pelez les figues et partagez-les en deux ou coupez-les en gros morceaux. Épluchez les échalotes et coupez-les en morceaux. Partagez les piments et épépinez-les, lavez et coupez la chair en gros morceaux.

2 Faites chauffer l'huile dans un faitout. Versez les figues, les échalotes, les piments, la feuille de laurier, la poudre de girofle, le vinaigre, le vin, la moutarde, les graines de moutarde et le sucre. Portez le tout à ébullition et faites cuire 10 minutes à feu doux. Salez et poivrez.

3 Retirez la casserole du feu et laissez refroidir. Prélevez la moitié du chutney et mixez-la finement, remettez la purée dans la casserole.

4 Faites chauffer l'huile dans une poêle profonde et faites griller les pappadam l'un après l'autre, 5 à 7 secondes sur chaque face. Retirez-les avec une écumoire et égouttez-les sur du papier absorbant. Servez les pappadam avec le chutney de figues.

Astuce

Les figues fraîches sont fragiles et ne se conservent pas longtemps. Certaines variétés ont une peau épaisse que l'on évite de manger. On mange toujours, en revanche, la peau des figues sèches.

Chutney au tamarin
et aux raisins secs

Ingrédients

150 g de pulpe de tamarin

1 cuill. à café de cumin en poudre

1/2 cuill. à café de piment en poudre

150 g de sucre roux

Sel

100 g de raisins secs

Préparation

POUR 4 PERSONNES

1. Faites ramollir la moelle de tamarin dans de l'eau chaude. Pressez-la dans une passoire pour en extraire le jus.
2. Faites chauffer le jus de tamarin avec le cumin, le piment en poudre et le sucre, et salez.
3. Faites cuire le mélange à feu doux jusqu'à ce que le sucre soit dissous. Versez les raisins secs dans une passoire et passez-les sous un jet d'eau froide, égouttez-les, puis versez-les dans le chutney et faites-les mijoter 2 minutes à feu doux.
4. Laissez refroidir le chutney et placez-le au frais. Décorez le chutney avec des feuilles de coriandre et servez-le froid.

Dés de potiron
au sirop

Ingrédients

600 g de potiron

1 gousse de vanille

75 g de sucre de canne

1 bâton de cannelle

Préparation

POUR 4 PERSONNES

1 Épluchez le potiron, retirez les graines et coupez la chair en morceaux de la grosseur d'une bouchée.

2 Partagez la gousse de vanille dans le sens de la longueur. Faites bouillir 1 litre d'eau avec le sucre, la gousse de vanille et la cannelle et faites épaissir le sirop à feu doux.

3 Préchauffez le four à 150 °C. Placez les morceaux de potiron dans un plat creux, retirez la gousse de vanille et le bâton de cannelle du sirop, et arrosez le potiron. Enfournez et faites cuire le potiron 90 minutes à mi-hauteur, en remuant de temps en temps. Laissez refroidir le potiron avant de le servir.

Pâtes
de curry

Les pâtes de curry sont particulièrement raffinées et peuvent constituer un petit cadeau très apprécié.

Ingrédients

Pâte de curry rouge :
3 échalotes
8 piments rouges piquants
3 piments rouges doux
1 tige de citronnelle
10 g de galagan
1 cuill. à café de coriandre
1/2 cuill. à café de cumin
Zeste de citron vert
Sel · Poivre du moulin
Noix de muscade râpée
1 cuill. à café de pâte d'anchois
Pâte de curry jaune :
5 gros piments secs
5 échalotes · 8 gousses d'ail
10 g de gingembre
1 tige de citronnelle
1 cuill. à soupe de coriandre
1/2 cuill. à café de cumin
1 cuill. à café de sel
1 cuill. à soupe de curry en poudre
1 cuill. à café de crème d'anchois

Préparation

POUR 4 PERSONNES

1 Pour la pâte de curry rouge : épluchez les échalotes et hachez-les finement. Partagez les piments en deux, retirez les graines, lavez et hachez finement la chair. Parez la tige de citronnelle, jetez la partie verte et dure, et coupez la partie blanche en fines rondelles. Pelez le galagan et hachez-le finement.

2 Faites griller les graines de coriandre à sec dans une poêle, 2 minutes à feu vif, et pilez-les dans un mortier avec les graines de cumin et le zeste de citron vert.

3 Incorporez progressivement tous les ingrédients dans le mortier et travaillez le tout pour obtenir une pâte. Assaisonnez la pâte de curry avec du sel, du poivre et de la noix de muscade, puis incorporez la pâte d'anchois.

4 Pour la pâte de curry jaune : lavez les piments et partagez-les en deux puis faites-les ramollir 5 minutes dans de l'eau chaude. Égouttez-les et pressez-les entre vos mains pour éliminer l'eau (lavez-vous les mains ensuite).

5 Épluchez les échalotes et l'ail et hachez-les finement. Pelez et hachez finement le gingembre. Parez la tige de citronnelle, jetez la partie verte et dure et coupez la partie blanche en fines rondelles.

6 Faites griller tous les ingrédients avec la coriandre et le cumin 3 minutes à sec dans une poêle, sauf les piments, puis laissez refroidir la préparation.

7 Versez les piments et du sel dans le mortier et pilez. Incorporez progressivement le mélange d'épices grillées et travaillez la préparation pour obtenir une pâte. Incorporez le curry et la crème d'anchois.

Liste des recettes

Mentions

Titre original : *Currys*

pour l'édition originale :

pour l'édition française :

ISBN : 2-263-04232-6
ISBN 13 : 978-2-2630-4232-4
Code éditeur : S04232
Dépôt légal : janvier 2007
Traduction : Marie-Joëlle Tarrit
Adaptation-réalisation : ACCORD, Toulouse
Imprimé en Italie

Crédits

Couverture Susie Eising (1re de couverture, 4e de couverture, haut et centre) ; Jean Cazals (4e de couverture, bas).

Intérieur Jo Kirchherr (Styling Oliver Brachat) : 8, 9 (haut et centre), 10-11, 16, 25, 40, 53, 59, 73, 91, 94, 95, 110 ; StockFood/K. Arras : 63 ; StockFood/I. Bagwell : 17 ; StockFood/Bayside : 31 ; StockFood/D. Begovic : 29, 116, 117 ; StockFood/U. Bender : 35, 48 ; StockFood/G. Buntrock Ltd. : 111 ; StockFood/S. Cato-Symonds : 102 ; StockFood/J. Cazals : 19, 21, 34, 65, 66-67, 74, 77, 79, 81, 82, 85, 87, 93, 97, 99, 103, 107, 119, 120, 121, 123 ; StockFood/P. A. Eising : 2-3 ; StockFood/S. Eising : 1, 13, 15, 27, 57, 69, 71 ; StockFood/S. & P. Eising : 6 droit, 39 ; StockFood/FoodPhotography Eising : 4-5, 9 bas, 22, 23, 37, 42-43, 45, 51, 61, 101, 109, 115, 127; StockFood/I. Garlick : 47, 49, 54, 75 ; StockFood/D. King : 7 centre ; StockFood/Kröger/Gross : 7 (1re à gauche en partant du bas); StockFood/J. Lee Studios : 124 ; Stock-Food/N. Leser : 104-105, 113 ; StockFood/W. Lingwood : 83 ; StockFood/D. Loftus : 60 ; StockFood/K. Newedel : 6 gauche ; StockFood/W. Reavell : 41 ; StockFood/P. Rees : 7 (2e à gauche en partant du bas) ; StockFood/J. Rynio : 28, 88, 89 ; StockFood/J. Scherer : 7 droit ; StockFood/M. Stock Ltd. : 7 (2e à gauche en partant du haut) ; StockFood/J. C. Vaillant : 125 ; StockFood/E. Watt : 33 ; StockFood/TH Werbung : 7 (1re à gauche en partant du haut) ; StockFood/ Frank Wieder : 55.